서귀포를 아시나요

# 서귀포를 아시나요

1판 1쇄 발행 2019년 10월 21일
1판 3쇄 발행 2019년 12월 2일

지 은 이  서명숙
취   재  신미희
펴 낸 이  신혜경
펴 낸 곳  마음의숲

대   표  권대웅
주   간  이효선
편   집  전태영
디 자 인  임정현 박기연
마 케 팅  노근수 허경아

출판등록  2006년 8월 1일(제2006-000159호)
주   소  서울시 마포구 와우산로30길 36 마음의숲빌딩(창전동 6-32)
전   화  (02) 322-3164~5  팩스 (02) 322-3166
이 메 일  maumsup@naver.com
인스타그램  @maumsup
용지 신승지류유통(주)  인쇄·제본 (주)상지사P&B

＊값은 뒤표지에 있습니다.
＊저자와 출판사의 허락 없이 내용의 전부 또는 일부를 인용, 발췌하는 것을 금합니다.
＊잘못 만들어진 책은 구입하신 곳에서 교환해드립니다.

＊이 도서의 국립중앙도서관 출판예정도서목록(CIP)은 e-CIP홈페이지(http://www.nl.go.kr/ecip)와
국가자료공동목록시스템(http://www.nl.go.kr/kolisnet)에서 이용하실 수 있습니다.
(CIP제어번호: CIP2019039387)

# 서귀포를
# 아시나요

서명숙 지음

마음의숲

"길에 구르는 저 돌멩이도 다 쓸 데가 있는 거야.
저 돌멩이가 쓸모가 없다면 이 세상도 쓸모가 없는 거야."

– 〈길 La Strada〉 중에서 (페데리코 펠리니 감독)

서귀포의 모든 길들은 바다를 향한다. 오름으로 가는 길도, 산으로 가는 길도,
숲속으로 가는 길마저도 바다를 향하고 있다. 바다로 닿아 수평선을 잇는 그 너머의 길.
아주 먼 길을 갈 수 있었던 힘. 사람에게 가는 길, 결국 나에게 돌아가는 길,
그것이 서귀포의 길이었다.

당신이 가고 있는 그 어떤 길도 하찮은 길은 없다. 당신이 지금 서 있는 곳이
바로 세상의 중심이다. 서귀포의 중심에서 나는 외친다. "그 길로 계속 가라."

길이 사람을 바꾸고 인생을 바꾸고 세상을 바꾼다는 것을 걸어본 자들은 알리라.
그 길 위의 만남들 사랑들 아 눈물들. 서귀포에서 시작된,
서귀포의 바람과 구름으로 쓰고 싶었던 길 위의 기억들….

# 피스(peace)올레를 시작하는 길, 서귀포

서귀포. 지금은 동쪽 끝 성산읍에서 서쪽 끝 대정읍까지 제주도 한라산 남쪽 지역 전체를 아우르는 행정지명이지만, 내 어린 시절 서귀포는 외돌개에서 정방폭포 사이를 의미하는 아주 작은 소읍에 불과했다.

그럼에도 서귀포는 그 당시에도 전국적으로 유명한 '대한민국 관광 1번지'이자 '신혼여행의 성지'였다. 관광과 밀감으로 유명해서 와보지는 않았을지라도 모르는 사람은 거의 없는.

장사 일에 바빠서 한꺼번에 몰아치듯 아이들을 혼내는 우리 어머니의 연대기합을 피해 숨어든 정방폭포나 천지연폭포 입구에서, 육지에서 온 숱한 신혼여행객이나 무전여행족들과 맞닥뜨렸다. 한껏 멋을 낸 신혼부부들과 배낭을 멘 대학생들을 보면서 그들이 왜 이런 촌구석을 찾아오는지, 왜 이곳의 풍경을 보면서 입을 떡 벌리고 감탄사를 내뱉는지 도무지 이해할 수가 없었다. 내게 서귀포는 상급 학교에 진학해 한시라도 빨리 벗어나고픈 지루한 촌구석이자 갑갑하기 짝이 없는 귀양지처럼 느껴지는 곳이었기에. 어린 나는 지적인 강렬한 자극과 물질적인 풍요로움과 익명의 자유를 한껏 누릴 수 있는-그러리라고 믿은-도시를 목마르게 갈망했다.

열아홉 살이 되던 해 마침내는 대학 진학으로 고향 탈출의 꿈을 이루었고, 서울이라는 대도시에서 발버둥치면서 오랫동안 질기게 살아남았다. 고향 서귀포를 떠올릴 여유도 없이 산 세월이었다. 하지만 오랜 언론인 생활을 접고 떠난 산티아고 길에서 뜻밖에도 고향을 다시 만났다. 산티아고 길 후반부에 접어들면서 서귀포의 풍경과 기억이 기억의 지층을 뚫고 하나둘 올라오기 시작한 것이다. 친구네 집 올레의 현무암 돌담, 그 검은 돌담 귀퉁이에 핀 새하얀 수선화, 서귀포초등학교에서 외돌개 솔숲까지 걸어서 가던 소풍 길, 고향 자구리 바당(바다)의 푸르른 빛깔, 까마득한 소남머리 절벽에서 꽃잎처럼 떨어지던 소년들의 다이빙하던 모습….

그리움에 목울대가 뻐근해질 정도로 고향 서귀포 바당이 그리워졌다. 결국 산티아고 길에서 돌아온 뒤 2007년 여름 제주도에 걷는 길을 내기 위해 내려온 나는 처음에는 중문 대포동 근처에 살다가, 2009년부터는 그토록 떠나고 싶어 했던 서귀포 구도심으로 돌아왔다. 어릴 적 살던 바로 그 동네로.

그때부터 서귀포는 나이 어린 소녀가 보지 못했던 갖가지 매력을 날마다 조금씩 보여주기 시작했다. 초등학교 사생대회 때 스케치를 하느라고 지겨워하면서 보던 소남머리, 정방, 소정방, 주상절리 절벽과 섶섬을 하나의 화폭에 담은 자구리 바당은 아침저녁으로, 날마다, 계절마다 다른 모습과 빛깔과 풍경을 보여주었다. 빌딩 숲으로 둘러싸인 회색빛 도시에서 살던 내게 푸르름과 녹색이 한데 어우러 진 서귀포는 그야말로 '파라다이스'였다. 게다가 빛의 속도로 날마다 마감전쟁을 치르던 내게 서귀포 사람들 특유의 느릿느릿한 말투와 동작, 신호등이 따로 없는 도심 한복판은 저절로 '슬로 라이프'로 이동하게 만들었다.

서울에서 언론사 생활을 할 때 틈만 나면 여행책을 읽으면서, 나는 한 지역에서 오래 머무는 여행 생활자들을 부러워하곤 했다. 짧은 여행조차 마음 놓고 떠나지 못하는 신세인지라 그 부러움은 절절했다. 하지만 고향 서귀포로 돌아온 뒤 나는 내 고향을 날마다 여행하고, 아름다운 고향의 길을 날마다 걷는 '생활 여행자'가 되었다.

서귀포 도심 산책은 풍경만이 아니라 서귀포라는 소도시에 켜켜이 쌓인 역사의 지층을 하나하나 들춰내 환기해 주었다. 나는 서귀포항 근처를 지날 때마다 수많은 화물과 사람들을 태우고 요란한 뱃고동소리를 울리면서 부산으로 가던 여객선을 떠올리다가 300명 넘는 승객들이 여수 앞바다에서 수장된 악몽의 '남영호' 사건이, 서복공원 안의 중국풍으로 잘 가꿔놓은 정원을 지나칠 때마다 이곳 절벽에서 군경의 총칼 위협 아래 스러져간 4·3 희생자들의 통곡이, 외돌개 황우지 해안을 내려가면서 멀리 보이는 '12밧디 고망난 동굴'을 볼 때마다 일제강점기 때 조밥 한 덩이를 배급받으면서 오로지 손과 곡괭이만으로 일본군의 어뢰정을 숨길 저 땅굴을 파는 강제노동을 해야만 했던 제주 삼촌들이 절로 떠오르곤 했다. 작가 오르한 파묵의 말처럼, 모든 풍경의 아름다움은 슬픔 속에 있다는 걸 날마다 실감하면서 나는 서귀포라는 공간을 걷고 또 걸었다.

서귀포 산책은 풍경과 역사만이 아니라 사람도 만나게 해주었다. 서귀포는 한국전쟁 시절 피난민들부터 시작해서 특히 1960년대 감귤 노동자 이주를 거쳐 최근의 올레 이민자들에 이르기까지 시대마다 결이 다르고 이주 동기도 다른 외지인들을 많이 받아들인 보기 드문 지방도시인 동시에, 조선시대부터 내려온 제사문화와 농사조차 제대로 짓지 못하는 척박한 변방의 땅에서 혈연공동체들끼리 보듬어 안고 상부상조하던 시절 형성된 뿌리 깊은 '괸당' 문화가 아직도 고스란히 남아 있는 복합적이고 중층적이고 키치적인 요소가 강한 곳이다. 명절이면 빳빳하게 풀 먹인 모시한복을 갖춰 입고 친척 집을 순례하는 동네 어르신들이 드나드는 골목에서 홀러덩 다 벗은 듯한 옷차림을 한 외국인 남녀가 스킨 스쿠버 장비를 들고 나오는 곳이 바로 서귀포다.

그런 구도심을 날마다 산책하는 동안, 나는 여러 나라, 여러 도시에서 온 숱한 사람들을 만났다. 길거리에서 공연을 보던 중 홀딱 반해버린 사우스카니발의 리더 강경환, 육지에서 단 하루 여행하러 왔다가 10년째 서귀포에 사는 이중섭거리의 '약방의 감초' 격인 호야, 날마다 들르는 칠십리시공원에서 땅에 엎드려 꽃을 심는 하반신 장애의 김영수 대표, 제주가 너무 좋아 무작정 남편을 설득해서 제주에 내려왔다가 올레길을 걷던 중 글로는 표현하지 못할 제주 풍경을 그림으로 그려야겠다고 결심하고 그림을 독학으로 공부해 길에서 수채화를 그리는 전직 국어교사 박지현 화가를 만난 것도 모두 서귀포의 길 위에서였다.

그렇게 서귀포에서 10여 년 생활 여행자로 살다 보니, 오래전부터 너무나도 잘 알려진, 하지만 너무나도 겉핥기식으로만 스쳐 지나가는, 그래서 오해와 몰이해 속에 함몰된 이 서귀포라는 곳에 대해 문득 쓰고 싶어졌다.

서귀포를 찾았던, 지금 막 찾은, 앞으로 찾을 계획이 있는 사람들에게 묻고 싶어졌다. '서귀포를 아시나요'라고. 그리고 들려주고 싶어졌다. 이곳에서 나고 자란, 한때 이곳을 버리고 떠났다가 배신한 만큼 더 절절하게 사랑하게 된 서귀포 토박이 출신이 서귀포에 대해 보고 듣고 알게 된 이야기를. 이곳 서귀포를 걸으면서 스스로도 미처 생각하지 못했던 인생의 길을 찾게 된 사람들의 이야기를. 그리고 언젠가는 우리나라의 가장 남쪽 읍이었던 어머니 고향 서귀포에서 가장 북쪽 읍이었던 아버지의 고향 무산까지 걸어서 가보고 싶은 내 절절한 꿈을 독자들과 나누고 싶어졌다.

　여기까지의 서문을 읽고 책을 사려고 생각한 독자들에게 첨언하고 싶은 이야기가 있다. 하나는 이 책이 서귀포의 모든 것을 담아내고 설명하는 유일한 책이 아니라는 것, 다른 하나는 여러분도 여러분이 사는 곳-도시든 시골이든 간에-을 날마다 걷다 보면 뜻밖의 풍경을, 그 속에 담긴 애달픈 역사를, 새로운 사람들을 만나게 된다는 것을. 심지어는 그 길 위에서 당신의 인생을 달라지게 만드는 길을 발견할 수도 있다는 것을.

2019년 가을

서명숙

# 차례

1부 ──────────── 혼자 걷는 길에서
가장 뜨거웠다

2부 ─────────── 대서양 땅끝에서
잇츠 서귀포를 외치다

# 3부 ──────────── 잘못된 길은 없다

# 4부 ——————— 서귀포에서 무산까지 걸어서 가자

1부

혼자 걷는 길에서
가장 뜨거웠다

서귀포의 바람과 구름에는 무언가를 재생시키는 카페인 성분 같은 것이
들어 있다. 잊었던, 잃었던 꿈을 다시 살게 하는, 다시 걷게 하는,
그것들을 나는 서귀포 판타지라 부른다.

# 검은 돌을 나는 사랑했네

돌이라면 으레 다 까만 줄 알았다. 온천지에 새까만, 까망에 가까운 흑색을 띤 돌들 천지였다. 집과 집의 경계인 돌담도, 과수원 돌집도, 바닷가에 널린 바위들도, 절벽들도 죄다 까맸다. 돌이 까맣지 않을 수도 있다는 사실을 알게 된 것은 서양 소설을 읽고 외국 영화를 접하면서부터였다. 아, 소설에는 햇빛을 받아 황금처럼 빛나는 대리석 건물과 궁전이 묘사되어 있었다. 황금빛, 상아 색깔 돌이라니. 상상이 가지 않았다. 아마 그때부터였으리라. 내가 제주의 현무암 돌들을 경멸하고 싫어하게 된 것은. 대리석 궁전에서 노니는 꿈을 꾸게 된 것은.

내 나이 오십에 산티아고 길을 걸으러 떠날 때까지만 해도 그 시꺼먼 현무암 돌들을 듬성듬성 쌓아올려서 만든 제주 돌담을, 바닷가에 널린 검은 바위를 그리워하게 될 줄은 꿈에도 몰랐다. 오히려 한국에서는 부잣집 저택이나 고급 레스토랑에서나 보던 대리석을 원없이 보리라는 꿈에 부풀어 길을 떠났다.

2006년 9월 10일. 3년이나 가슴속으로만 품어왔던 그 출발지, 프랑스 국경마을 생장피에드포르 Saint Jean Pied de Port에 도착해 언덕 위에 있는 순례자협회를 찾아가서 '크레덴셜 Credencial (순례자 여권)'을 발급받았다. 그들이 지정해주는 알베르게에 여장을 풀고 이른 저녁 혼밥을 위해 근처 식당을 찾았다. 뉘엿뉘엿 해가 피레네산맥 뒤로 넘어가고 있는 시각에. 세상이 나를 위해 존재하고, 나는 이 순간을 위해 여지껏 달려온 것 같은 순간이었다. 아, 그때 불타듯 지는 해에 반사되어 분홍빛으로 발그레해진 대리석 계단의 빛깔이라니. 거무튀튀한 현무암과는 너무나도 대조적이었다.

그건 시작에 지나지 않았다. 그 뒤 발길이 닿는 곳마다 성당의 외벽, 평범한 마을 주택, 올라가는 계단 곳곳에 대리석과 화강암이 지천이었다. '한계효용체감의 법칙'이 작용했던 것일까. 어느 날 산길을 혼자 오르다가, 채석을 하다 만 듯한 돌산을 지나게 되었다. 아니나 다를까. 군데군데 여러 컬러로 마블링된 대리석 원석이었다. 한국에서라면 어느 재벌 회장님 댁 거실 바닥에나 깔려 있음직한 제법 근사해 뵈는 컬러였다. 내 입에서 갑자기 이런 혼잣말이 튀어나왔다. "지겨워라. 오나가나 이놈의 대리석!"

여정이 길어질수록 서울이라는 대도시에서 경쟁과 속도에 치이는 언론사 기자 생활을 하는 동안 새까맣게 잊고 지냈던, 기억의 지층에 깊이 파묻어두었던, 어린 시절 서귀포의 풍경을 자꾸만 떠올리게 되었다. 그런 순간은 후반부에 이를수록 더 자주, 더 길게 찾아들었다. 기억의 지층 켜켜이 묻혀 있던 기억은 오래된 순서대로 치고 올라왔다. 외갓집 제사에 가는 어머니를 따라가던 중산간의 산길, 그 길섶에는 은성한 억새가 햇빛에 부서져 하얗게 빛났다. 억새를 처음 보는 나는 저 반짝이는 풀이 무엇이냐고 어머니에게 물었다. 그런 나를 어처구니없다는 표정으로 바라보던 중산간 가시리 출신의 그녀!

초등학교 때 어머니에게는 아이들과 공부하러 간다고 속이고 천지연 입구의 포구에 고메기(고동)를 잡으러 가곤 했다. 바위를 들추면 나타나던 고메기들. 우리가 고사리 손으로 애써 일으켜 세우던 그 바위들은 크기는 저마다 달랐지만 한결같이 새까맸다.

기억의 초점은 까만 현무암으로 좁혀졌다. 문득 이런 깨달음이 찾아왔다. 아, 봄철이면 온 세상을 노랗게 물들이던 유채꽃을 더 샛노랗게 보이게 한 것도, 친구네 집 올레에 핀 수선화를 더 청초하게 보이게 만든 것도, 따지고 보면 그 배경이 된 현무암 덕분 아닌가. 이렇게 오랜 시간이 흘러서야, 머나먼 타국 땅을 걷고 난 뒤에야 현무암의 아름다움을 깨닫게 되다니.

하기야 그게 여행이 주는 선물이자 메시지일지도 모른다. 누군가 이런 말을 했다. "여행은 그곳을 보여주는 것이 아니다. 그곳을 통해 기존의 장소와 상황을 바라보는 다른 시선, 다른 견해를 갖게 만드는 것이다." 실제로 나는 스페인 북쪽 지방을 관통하는 동안에, 오래전에 떠난 내 고향 서귀포의 현무암을 바라보는 새로운 시선을 갖게 되었다.

올레길을 개척하면서, 나는 원없이 제주의 까만 돌을 보았다. 1코스 시흥리 말미오름 가는 길부터 아기자기 도란도란한 낮트막한 제주 밭담으로 이어져 있고, 말미오름 능선에 있는 근육질의 바위들도 거무튀튀한 현무암의 매력을 한껏 발산했다.

그 뒤 5년 4개월에 걸쳐 제주섬을 한바퀴 걸어서 도는 425킬로미터 26개 코스를 내는 동안 나는 얼마나 많은 밭담과 산담, 환해장성, 돌창고, 오름과 바닷가에 널린 바위와 여(바닷속 암초로 썰물 때는 바닷물 위로 드러나고 밀물 때는 잠기는 바위)들과 눈을 마주쳤던가. 그런데도 조금도 물리지도, 지겹지도, 촌스럽게 느껴지지도 않았다. 어느 곳 어느 집 어느 마을 어느 바닷가 돌도 다 저마다 다른 모습으로 내게 말을 걸어왔다.

현무암의 매력에 빠진 사람은 나만이 아니었다. 육지에서 온 올레꾼들은 이 시커먼 현무암에 홀딱 마음과 시선을 빼앗겼다. 20코스 개장식이 열리는 날 평대리 마을을 지날 때 올레꾼들은 환호성을 질렀다. 이미 오랫동안 올레길을 걸으면서 제주의 돌들을 사랑하게 된 그들은 집집마다 제주의 풍경을 완성시키는 마지막 신의 붓질은 현무암이다.
밤이면 깨어나는 돌들의 시간을 나는 사랑했다.

봄철이면 온 세상을 노랗게 물들이던 유채꽃을 더 샛노랗게 보이게 하고,
친구네 집 올레에 핀 흰 수선화를 더 청초하게 보이게 만드는 검은 돌.
무채색의 힘으로 모든 색깔을 더 생생하게 만드는 현무암의 매력에 빠져든다.

제주 현무암으로 정겹게 쌓아올린 집담이 오롯이 살아 있는 이 마을에 경탄을 금치 못했다.

제주에 살면 살수록 제주의 풍경을 완성하는 마지막 신의 붓질은 현무암이라고 굳게 믿게 되었다. 검은 현무암은 제주에 피고 지는 그 모든 꽃과 나무와 덩굴 식물들의 색깔과 모양의 아름다움을 극대화한다. 무채색의 힘으로 모든 색깔을 더 생생하게 만드는 것이다. 영화로 치면 흥행을 책임지는, 색채계의 신스틸러라고나 할까.

현무암에 대한 내 높아진 자부심과 뒤늦은 사랑을 공고하게 만든 건 산티아고 길을 다녀온 지 몇 년이 흐른 뒤의 일이었다. 스페인 바르셀로나에서 일주일간 머무르면서 건축가 가우디의 흔적을 따라잡는 여행을 하던 중이었다.

2006년 산티아고 길을 걷는 36일이라는 긴 여행길에서 알베르게에서 자지 않고 호텔에 머무른 건 딱 하루, 아스토르가라는 자그마한 도시에서였다. 길 위의 순례자답게 알베르게에서만 잔다는 나 자신과의 약속을 깨뜨린 건 순전히 가우디 때문이었다. 아스토르가에는 오래된 성당이 있고 그 성당 바로 옆에는 가우디가 설계한 독특한 외관의 뮤지엄이 있었다. 호텔은 성당과 뮤지엄 바로 맞은편에 있었다. 성당과 뮤지엄을 코앞에서 감상할 수 있는 발코니를 갖춘 그 호텔을 보는 순간 무조건 들어가서 체크인을 했고, 나는 그날 초저녁 붉게 타오르는 노을을 배경으로 어두워질 때까지 두 건물을 감상하는 호사를 누렸다.

가우디가 태어나고 주로 활동하면서 많은 작품을 남긴 바르셀로나를 찾았으니, 당연히 그의 흔적을 찾아다닐 수밖에. 137년 계속되는 건축 기간에도 아직도 완성되지 않은 사그라다 파밀리아(성가족성당), 그가 살았다는 미로 같은 구조의 아파트 등. 바르셀로나는 축구팀 FC 바르셀로나와 건축가 가우디로 먹고산다는 얘기가 있을 만큼, 시내 곳곳은 가우디의 건축물과 굿즈로 넘쳐났다.

바로셀로나의 또 다른 랜드마크로 가우디의 혼이 담겨 있는 구엘파크가 내게는 가장 인상적이었다. 당시 유럽에서는 엄청난 고가라서 하나만 갖고 있어도 주위에서 부러워했다는 중국산 도자기를 미련 없이 깨뜨려서 재료로 쓴 대담한 시도, 돌이 아닌 흙으로 그리스 신전을 연상케 하는 곡선의 회랑을 만들어낸 창의적인 발상이 참으로 인상적이었다. 문외한이지만 그에 대한 존경이 절로 일어났다.

헌데 이어지는 가이드의 설명이 내 귀를 번쩍 트이게 했다. "이 놀라운 성취가 가능했던 게 가우디의 천재성과 더불어 그의 재능을 아낀 이 도시의 유력자 구엘이 그의 대담한 시도를 재정적으로 충분히 뒷받침한 덕분입니다. 하지만 그 가우디조차도 현장에서 시도하지 못한 소재가 있었답니다. 그건 다름 아닌 화산석인 현무암입니다."

아, 현무암이라면 내가 나고 자란 서귀포 바닷가에 지천으로 널린 그 까만 돌들 아닌가. 가우디가 그 돌들을 자신의 아이디어를 실현시킬 최고의 건축 소재로 여기고 그토록 쓰고 싶어 했다니. 아아! 나는 주위 사람들에게 "제주도에는 그런 돌들이 널려 있다고요. 발에 차일 정도로요" 외치고 싶은 걸 애써 누르느라 혼이 났다. 현무암에 대한 사랑과 자부심이 새삼 몽골몽골 피어올랐다.

언젠가 올레 6코스 후반부인 서귀포 검은여 앞바다를 육지에서 온 후배와 걸으면서 나는 가우디와 현무암에 대한 이야기를 들려주었다. 햇살을 받아 거무튀튀한 근육질의 몸을 뒤트는 바닷가에 도열한 바위들을 사열하노라니 문득 그 가이드의 설명이 떠올랐기에. 그녀가 그 이야기를 다 듣더니 한마디 덧붙였다. "선배는 날마다 걸으면서 가우디의 작품, 아니 가우디도 못 만든 신의 걸작을 감상하는 거네. 왕부럽!"

하지만 그녀가 미처 모르는 꿀팁 한 가지. 그 작품들은 해가 지고 사방에 어둠이 짙게 깔리면 본격적으로 살아난다. 깜깜한 밤하늘에 휘영청 달빛과 별빛의 조명을 받으면서 현무암들은 비로소 자신의 온전한 프로필을 드러낸다. 바야흐로 돌들의 시간은 이때부터 시작된다.

# 한라산 꼭대기에
## 머리 풀고 누운 할망이여

　어린 시절 시장통 어른들의 대화에 가장 많이 등장하는 주인공은 단연코 '설문대할망'이었다. "저 하늘 좀 보라게 설문대할망이 막 용심났저." "설문대할망한티 물어보라 내일 비 오크냥 안 오크냐." "설문대할망한티 혼날 짓 햄쩌." 사람들 말끝마다 설문대할망이 들먹여졌고, 매사에 설문대할망이 개입하고 나섰다.

　어느 날 어머니에게 물었다. 설문대할망은 어디 사는 분이고 누구네 할머니냐고. 어머니는 갑자기 큰 웃음을 터트

리더니 이웃 미역 파는 미역할망에게 명숙이가 설문대할망이 누구네 할망이냐고 묻는다고 일렀다. 동네에서 가장 유식하기로 소문난 미역할망은 방긋 웃으시면서 "누구네 할망이긴. 우리 제주 사람 모두의 할망이지"라고 답하셨다. 미역할망 말처럼 설문대할망이 시장통 사람들만이 아닌, 서귀포 사람들만이 아닌, 제주 사람 모두의 할망이라는 걸 알게 된 건 오랜 시간이 흐른 뒤였다.

나중에야 알게 된 사실이지만 설문대할망은 실재하는 할망이 아닌, 신화 속의 존재였다. 하지만 그녀는 문헌에 고정된 형태로 존재하지도, 신화에만 머물지도 않았다. 사람들의 입과 입을 통해서, 시대와 시대를 이어 전승되면서, 무수히 변형되고 숱한 버전으로 재생되어 제주인의 일상에서 날마다 살아 움직이는 인물이 바로 설문대할망이다. 내가 그동안 주위에서, 문헌에서 주워들은 설문대할망의 스토리는 대충 이렇게 요약된다.

그녀는 동북아에서도 손꼽히는 신령한 산 일명 영주산으로도 불리는 한라산을 만들어냈고, 그 한라산만으로는 너무 심심하고 밋밋하다는 생각에 흙으로 365개의 오름을 빚어 제주 이곳저곳에 뿌려놓았고, 오름 군락을 지켜보며 매우 기뻐했고, 한라산에 머리를 베고 누우면 두 발이 서귀포 바닷가 범섬에 가 닿아서 범섬에 커다란 동굴 두 개가 뚫렸을 만큼 키가 크고 체구가 장대했고, 위쪽이 평평한 성산일출봉은 그녀의 빨래판이었고, 우도는 원래 따로 떨어진 섬이 아니었는데 설문대할망이 성산읍 오조리 식산봉과 성산리 일출봉에 양다리를 걸치고 앉아 오줌을 싸자 육지가 패이며 바다가 그 사이로 들어와 섬이 생겼고 오줌 줄기가 얼마나 셌는지 바다가 깊이 패여 성산과 우도 사이 바다는 물살이 유난히 빠르게 되었고, 할망이 치마폭에 물을 가득 담아서 이 마을 저 마을에 조금씩 나눠주어 용천수가 솟아나게 해준 덕분에 마을 사람들이 바닷물 아닌 단물을 마시게 되었고, 할망이 그만 물 조절을 잘못하는 바람에 그 물을 못 나눠준 마을은 용천수가 솟지 않아서 다른 마을로 허벅을 지고 물을 길러 다녀야만 했고, 육지와 연결되지 않아서 고립감을 느낀 제주 사람들이 할망에게 제발 다리를 놔달라고 간곡히 부탁하자 할망은 자신에게 맞는 옷을 만들어주면 다리를 놔주겠노라고 약속을 했고, 사람들은 부지런히 할망의 옷 서귀포에서 바라보는 한라산은 할망이 누운 모습이다.
문득 한반도 끄트머리 백두산에도 그런 하르방이
남쪽 끄트머리에 사는 설문대할망을 기다리고 있을 것이라는 생각을 해본다.

감을 짜기 시작했고, 하지만 사람들이 총동원되어 지은 옷감을 모아서 드렸지만 할망의 몸을 다 감싸기에는 천이 부족했고, 할망은 거의 되어가던 다리 공사를 화가 난 나머지 중단해버렸고, 그래서 제주는 끝내 섬으로 남을 수밖에 없었다더라.

끝내 육지와 이어지지 못한 게 제주섬의 비극이라면, 설문대할망의 개인적 운명도 똑같이 비극으로 끝난다.

설문대할망에게는 남편이라는 존재가 없이도 그 어마어마한 체격에 걸맞게 아들 500명이 있었는데, 그 아들들이 사냥을 간 사이에 어미인 할망은 사냥을 마치고 고픈 배를 움켜쥐고 돌아올 500명의 장정 아들들을 먹일 엄청난 양의 팥죽을 어마어마하게 큰 솥에 쑤기 시작했고, 시간이 흐를수록 죽은 펄펄 맛있게 끓었고, 그 죽이 다 되었나 보려고 할망은 솥 안을 들여다보았고, 헌데 할망이 그만 잘못해서 펄펄 끓는 죽 솥에 빠지고 말았고, 솥이 워낙 크고 깊은지라 할망은 끝내 나오지 못했고, 그런 중에 아들들은 사냥을 마치고 돌아와 어멍을 찾았으나 어멍은 없었고, 배가 고픈 나머지 아들들은 어멍 오기를 기다려야 한다고 말린 막내아들만 빼고는 모두 달려들어 죽을 먹기 시작했고, 마침내 바닥을 드러낸 솥에서 어멍의 뼈를 발견하고선 충격과 비탄에 빠졌고, 죽을 먹은 아들들은 어미를 함께 먹었다는 죄책감을 견딜 수 없어서 돌로 굳어졌고, 죽어서라도 어멍이 사랑했던 제주를 지키는 수호신이 되기로 결심하고 한라산 영실로 들어가서 오백나한이 되어 제주를 지키기로 했고, 막내아들은 형들을 용서할 수 없고 그 형들을 보기는 더더욱 싫다면서 형들이 있는 한라산과 가장 멀리 떨어진 곳으로 가서 제주시 용수포구 앞 홀로 누운 섬 차귀도가 되었다더라.

비극적 결말과 함께 신화 속 존재가 된 설문대할망은, 서귀포에서는 날마다 만날 수 있는 존재이기도 하다. 서귀포 사람들은 시내에서 바라다보이는 한라산 정상부 모습을 '설문대할망이 머리를 풀고 누워 있는 모양'이라고 여긴다. 어른들은 먹구름 낀 한라산을 바라보면서 말하곤 했다. "아고 설문대할망 머리에 시커먼 구름 몰려 있저게. 곧 비 옴직허다게."

실제로 그런 어른들 이야기를 듣고 한라산을 바라다보면, 할망의 눈 코 입 완강한 턱선까지 그럴듯하게 보이곤 했다. 구름이 어떤 모양으로 어떤 위치에 어떤 색깔로 머무는가에 따라서 어떤 날에는 할망이 면사포를 쓰고 있거나, 어떤 날은 곰방대를 물고 담배 피우는 모습처럼, 어떤 날은 거품 목욕을 즐기는 것처럼 보이기도 했다.

하지만 한 해 한 해 시간이 흐를수록 서귀포 구도심 지역에서 설문대할망의 모습을 온전히 볼 수 있는 곳이 점점 줄어들고 있다. 예전에는 기껏해야 2~3층 건물이 대부분이었는데 이제는 지었다 하면 무조건 고층 건물을 짓다 보니, 점점 할망의 모습을 가리는 경우가 많아지고 있기 때문이다.

어느 날 남성리 입구 시공원에서 멀리 한라산을 한참 바라보던 할머니가 던진 말은 두고두고 내 가슴을 쳤다. "난 두린 때부터 이날 입때까지 한라산 보는 맛으로 산다게. 오멍 가멍 산 보멍 제발 설문대할망 우리 자식 손주 새끼들 잘 되게 돌봐줍서양, 매날 기도헌다게. 경허난 서귀포에선 한라산이 아무 데서나 보여야주게. 자꾸 건물들 높이 높이 지엉 한라산을 자꾸 가려부난 막 속이 답답행 죽어지커여."

야자수 높이를 넘어서는 건물을 짓지 못하도록 아예 조

례로 규정한 하와이의 어느 섬처럼, 설문대할망이 드러누운 한라산 정상부의 모습은 서귀포 어디에서도 볼 수 있도록 신축 건물의 높이를 규제하는 조례를 만들 수는 없을까. 갈수록 답답해지는 서귀포의 스카이라인을 올려다보면서 떠올리는 생각이다. 눈이 시릴 정도로 푸르른 하늘을 배경으로 날마다 모습을 바꾸는, 설문대할망의 하루를 엿보는 기쁨을 빼앗기는 것은 참으로 애석한 일이므로.

## 서귀포에서만 보이는 별, 노인성

예전부터 별을 보는 게 너무나도 좋았다. 먼바다를 보면서 육지를 꿈꾸었듯이, 먼 하늘을 올려다보면서 우주를 상상했다. 초등학교에서 이런저런 별자리 이름을 배우고 난 뒤에는 별 보는 일이 더욱 즐거운 놀이로 여겨졌다.

우리 집 좁은 마당에는 평상이 하나 놓여 있었다. 평소에는 미나리나 시금치 따위를 다듬는 장소로 쓰였지만, 여름밤에는 그 용도가 달라졌다. 에어컨은 물론 선풍기조차 없는 시절이었다. 찌는 듯한 여름밤 열대야의 더위를 피해

온 식구들이 이 평상에서 시간을 보냈다. 여느 때 같으면 장사 일에 지쳐 방안에서 곯아떨어질 어머니도 긴 여름밤에는 평상에 앉아서 한숨 돌리다가 잠자리에 들었다. 그럴 때면 나는 어머니 무릎팍을 베고 누워서 밤하늘을 올려다보고, 어머니는 그런 딸의 머리통을 살살 긁어주었다. 별들이 하늘 가득 외출 나온 날이면 나는 학교에서 배운 별자리를 자랑스럽게 어머니에게 가르쳐드리곤 했다. 낮 동안의 분주함과 소란함이 사라진 한여름밤의 고요함과 밤하늘의 아름다움은 형언할 수 없는 기쁨과 평안을 가져다주었다. 아, 이런 게 행복인가 보다, 그런 생각을 했던 것도 같다.

그러나 여름밤 별 보기가 늘 고요한 기쁨과 평화를 선사했던 것만은 아니다. 초등학교 5학년 여름 어느 날, 수업 중에 오늘밤 어지간해서는 보기 힘든 엄청난 개기월식을 볼 수 있다는 선생님의 이야기를 들었다. 가슴이 두근거렸다. 하필 그날 학교가 파하고 집으로 돌아오니 성읍리에 사는 외할머니가 와 계셨다. 딸 영자의 집을 방문하러 모처럼 서귀포로 나들이를 하신 것이었다. 그날 우리는 저녁 식사를 마치고 할머니와 함께 평상에서 시원한 수박을 먹으며 오랜만에 대화를 나누고 있었다. 마침 하늘에서는 갑자기 달이 사라지고 사방이 컴컴해졌다.

표선마을 근동에서 말 잘하고 글씨 잘 쓰는 유식한 할망으로 손꼽히는 외할머니가 말씀하셨다. "저건 개가 달을 잡아먹는 거여!"라고. 난 할머니 말씀이 채 끝나기도 전에 저건 개기월식이라는 천문적인 현상이라고 선생님에게서 배운 대로 조잘거렸다. 그 순간 할머니의 표정은 어두워서 볼 수는 없었지만 그 냉랭한 말투는 잊히지 않는다. "영자야. 딸 좀 잘 가르치라이! 어른들 말에 '꼬족꼬족' 나서지 않게."

다음 날 날이 밝기가 무섭게 외할머니는 집을 나섰다. 어머니가 버스 시간이 멀었다고 조반이라도 드시고 가라고 붙들었지만, 할머니는 찬바람이 횡횡 도는 표정으로 기어이 길을 떠났다. 한 달여 뒤 외할머니는 급작스러운 병으로 돌아가셨기에 그 여름밤이 그녀와의 마지막 만남이 되었다.


별에 대한 내 가장 찬란한 기억은 산티아고 길에서 돌아온 이듬해 2월, 가장 긴 길을 걸었으니 가장 높은 길도 올

라보겠다면서 떠난 네팔 안나푸르나베이스캠프(ABC) 트레
킹 여행 때였다. 몇 개의 산을 넘고 몇 개의 강과 개울을
건너서 드디어 도착한 안나푸르나베이스캠프. 눈앞에는
안나푸르나가 거대한 여신의 모습으로 솟아 있었고, 발아
래에는 우리가 지나온 길들이 아스라히 펼쳐져 있었다.

그날 밤, 숙소인 로지에서 잠을 청하던 나는 화장실이
가고 싶어서 바깥으로 나왔다. 왜 화장실이 실내에 없는
걸까 투덜거리면서. 그런데 밖으로 나와서 몇 걸음 걷다가
무심코 올려다본 밤하늘에는 마치 은가루를 뿌려놓은 듯
한 은하수와 함께 빈틈없이 촘촘히 박힌 별들이 어찌나 영
롱하게 반짝거리는지 넋이 나갈 지경이었다. 화장실에 가
려던 원래 목적은 까맣게 잊은 채 한동안 안나푸르나 설산
을 배경으로 한 별들의 향연을 지켜보았다. 아, 오랫동안
숨막히는 도시 생활을 하느라 까맣게 잊고 있던 어린 시절
밤하늘의 별들이 다시 내게 찾아온 순간이었다. 별들아 미
안하다, 그동안 너희들을 잊고 살았구나, 나는 별들을 향
해 마음속으로 속삭였다.

그해 여름 올레길을 내기 위해 고향 제주도로 귀향하면
서 예전처럼 별들을 보는 날들이 많아졌다. '별 볼 일 있는

이 별을 보면 오래 산다고 한다. 무병장수를 상징하는 별,
서귀포에서만 볼 수 있는 별, 당신이 가야 할 길을 알려주는 별, 남극노인성.
이 별을 보러 사람들이 서귀포로 오고 있다.

무심코 올려다본 안나푸르나의 밤하늘에는 마치 은가루를 뿌려놓은 듯한 은하수와 촘촘히 박힌 별들이 영롱하게 반짝거렸다. 오랫동안 숨막히는 도시 생활을 하느라 까맣게 잊고 있던 어린 시절 밤하늘의 별들이 내게 다시 다가온 순간이었다.

인생'이 시작된 셈이다. 물론 예전보다 건물도 많아지고 인공 조명과 불빛도 늘어나 별들이 예전보다 덜 보이긴 하지만, 대도시보다는 여전히 별 볼 일은 많은 편이었다. 게다가 밤바다를 배경으로 별을 보는 일은 더 큰 즐거움을 선사했다. 한여름 밤바다에 한치잡이 배가 점점이 떠 있는 날엔 수평선에는 한치잡이 배의 불빛이, 하늘에는 별빛이 마치 경쟁하듯 겹치기로 출연하곤 했다.

언제부터인가 '노인성老人星'이라는 단어가 자꾸 들리고 자주 눈에 밟혔다. 생전 처음 들어보는 단어였다. 북극성, 남극성이라면 몰라도 노인성은 금시초문이었다.

호기심이 발동해 제주국립박물관에서 발간한 노인성에 대한 자료를 읽어보았다. 대단한 스토리텔링이 담겨 있었다. 노인성은 동양에서는 고대부터 무병장수를 상징하는 별로 알려져 있으며, 서양에서는 용골자리에서 가장 빛나는 별로 '카노푸스Canopus'라고 한다. 나라의 국운융성을 알려주며, 인간의 수명을 관장한다고 하여 일명 목숨별, '수성壽星'으로 불리기도 한단다. 브라질 국기의 10번째 별도 바로 이 '카노푸스'란다. 위도와 경도의 지표가 되기도 해서 원양어선을 타는 사람들에게는 친숙한 별이란다. 우리나라에서는 서귀포와 남쪽 해안가에서만, 그것도 수평선 바로 위에서만 관측할 수 있는 이 별이 바로 남극노인성, 카노푸스라는 것이 책자에 담긴 설명이었다.

남위 52도에 있어서 동지 전후 3개월씩 6개월만 볼 수 있는데 아주 맑은 날이 아니면 보기 어려워 실제 볼 수 있는 날은 40일밖에 안 된다는 별! 엄청 별 볼 일 있는 사람이 아니면 보기 힘든 별!

문헌 속 이야기는 더 계속되었다. 이 별에 노인이라는 이름이 붙은 것은 약 2,000년 전. 옛사람들은 노인을 단지 나이 많은 사람이나 시들어버린 육체를 가진 존재로 여기지 않았다. 정반대로 나이듦은 완전하고도 이상적인 인간에 더 가까워지는 것으로 받아들여졌고, 그래서 옛사람들은 이 노인성에 인간 최고의 가치인 수명의 의미를 부여했다. 사람이 죽었을 때 저승으로 인도하는 별이 북극성이라면, 살아 있는 사람의 길흉화복과 무병장수를 주관하는 별이 남극노인성인 것이다.

특히 무병장수를 중시하는 동아시아 역사와 문화에서 노인성은 더 중요한 의미를 띄었고, 모든 시대와 계층을 포용하는 별이었으며, 이 별을 보면 오래 산다고들 믿었단다. 우리나라에서는 신라시대부터 노인성을 봤다는 기록이 전해내려오며, 고려와 조선시대에는 국가의 태평성대와 백성의 무병장수를 기원하면서 1년에 춘분과 추분 두 차례에 걸쳐 국가 제사로 '노인성제'를 지냈단다. 이웃 나라 중국에서도 진한시대부터 노인성제를 지냈으며, 칠복 사상이 강한 일본 규슈 지역에는 노인성을 모신 신사가 있단다.

그뿐인가. 세종대왕이 노인성을 관측하기 위해 관리를 제주에 파견했다거나, 정조가 제주에서 열린 특별 과거시험에 노인성 관련 문제를 출제했다거나, 토정 이지함 선생과 이원조 제주목사 등이 노인성을 보기 위해 한라산에 올랐지만 구름의 농간으로 보지 못했다는 이야기도 전해내려온다.

특히 한라산은 노인성이 임하는 곳으로 여겨져 사람들은 이 별을 보기 위해 힘겹게 한라산을 오르기도 했고, 남쪽 서귀진에는 노인성을 관측하기 위한 노인성단을 설치하기도 했다. 서귀진에서 노인성을 관측하는 것은 조선시대 제주의 12경 중 하나인 '서진노성'으로 꼽히기도 했다. 서귀포에는 노인성과 관련된 지명도 남아 있으니, 남성리 마을과 삼매봉 정상 부근에 있는 남성대가 바로 그것이다.

나는 이 대목을 읽어내려가다가 나도 모르게 무릎을 탁 쳤다. 남성리는 올레 7코스 초반부에 있는 유서 깊은 마을이다. 서귀포초등학교 시절 남성리에 사는 아이들이 먼 길을 걸어서 학교에 오곤 했다. 오호라, 남성마을과 남성대가 다 남극노인성과 관련 있는 지명이자 장소였구나. 그런데 왜 우리는 어린 시절 남극노인성의 존재에 대해 들은 적이 없는 걸까. 이 별의 존재는 왜 그토록 오랫동안 묻혀 있었던 것일까. 교통편이 여의치 않았던 조선시대에도 그 별을 보기 위해 일부러 제주를 찾았다는 남극노인성의 존재는 왜 그토록 까마득하게 잊혔다가 어떤 계기로 다시 모습을 드러낸 것일까. 뜻밖에도 거기에는 내가 이미 잘 아는 한 남자의 숨은 역할이 있었다.

## 삼백십억 광년 전

### 별을 불러낸 남자

노인성을 되살려낸 사람이 윤봉택이라니. 절로 고개가 끄덕여졌다. 그는 그동안 내가 만난 제주도 공무원 중에 가장 특이한 인물이었다. 처음 그를 소개받을 때만 해도 난 가사장삼을 입지 않은 스님인 줄 알았다. 머리가 완전 삭발인 데다 눈매 또한 속세 사람의 것이 아니었으므로. 아, 스님! 하면서 합장으로 인사를 했더니 그도 태연히 합장으로 인사를 받았다. 옆 사람이 껄껄 웃으면서 서귀포시 공무원이란다.

그를 소개한 사람은 "서 이사장은 이분에게 엄청 고마워해야 한다"고 덧붙였다. "이 윤 선생이 문화재 담당 공무원으로 일하면서 주로 한 일이 서귀포의 어지간한 곳은 다 문화재 보호구역으로 묶어서 더 이상 난개발이 진행되지 않도록 한 것이거든요. 사람들이 가장 좋아하는 올레 7코스 돔배낭 구간이 문화재 보호구역으로 지정된 것도 다 이 양반이 애쓴 덕분이에요. 보존 없이는 활용도 없다는 게 윤 선생의 지론인데. 윤 선생이 보존해놓은 자연을 제주올레 사무국이 제대로 활용하고 있는 거죠."

당사자인 윤 선생은 조용히 웃기만 했다. 시간이 제법 흐른 뒤에야 그가 입을 떼기 시작했는데 말투부터 제주도 남자 같지 않았다. 제주도 토박이들은 남녀를 불문하고 대개 목소리가 큰 편이다. 바람 건너서 대화를 나누어야 하기 때문이다. 헌데 이 양반은 어쩌나 목소리가 작고 말투가 조근조근한지 내 귀를 의심할 정도였다. 이 남자, 제주도 남자 맞아?

노인성의 존재를 세상에 다시 알린 이가 윤봉택이라는 얘기를 듣고는, 그에게 이것만큼은 묻고 싶어졌다. 310억 광년 전에 쏘아올려진 별에게 다시 그 이름을 되돌려준,

조선시대 사대부들의 로망을 오늘날 평범한 서귀포 시민들도 이루게 해준, 그 시작은 무엇이었느냐고.

그로부터 들은 긴 이야기를 한마디로 요약하면 그건 '운명'이었다. 그가 문화재 전문위원으로 공무원이 된 1992년 서귀포시는 개청 100주년 기념으로 《서귀포시 어제와 오늘》 화보집을 발간했단다. 그때 한 퇴직 교장 선생님이 50년 넘은 과거 기록 사진들을 기부했는데, 거기에는 그동안 잊히거나 알지 못했던 사진도 많이 담겨 있었단다. 자료를 보다 보니 제대로 옛 자료를 찾고 싶은 욕심이 생기더란다. 한자로 경전을 읽어내야 하는 승가대학 출신인 데다 대만농업기술원 발간 책자를 번역하는 등 고문서 독해에 특별한 소양과 취미가 있던 그였다. 고기가 물을 만난 것이었다.

그는 이태 뒤인 1994년 서울대 규장각, 국립중앙도서관, 국사편찬위원회, 한국정신문화연구원을 두루 돌아다니면서 제주와 관련된 고문서를 발굴하기 시작했다. 그 과정에서 《탐라지》 등 50여 종을 찾아냈다. 그해 말에는 이렇게 찾아낸 옛 문서와 서적의 원본을 복사해서 묶은 《서귀포시 고서 총람》을 펴냈다.

이런 고문서의 바다를 항해하던 중 번쩍 눈에 띄인 대목이 '노인성'이었단다. 특히 서귀포에서만 관측되는 별이라니 더 관심이 갈 수밖에 없었단다. "왜 별 이름에 노인성을 썼을까? 참 별나다, 하는 게 처음 든 생각이었죠. 그런데 문헌을 뒤지면 뒤질수록 기막힌 사실들이 마구 나오는 거예요. 조선시대 선비들이 그 별 하나를 보기 위해 제주를 찾았다고 하고, 심지어는 당대를 뒤흔든 토정 이지함 선생은 세 번씩이나. 1960년대 중후반까지 국운융성을 비는 제사를 서귀포 남성대에서 올렸다는 기록까지 찾아냈지요. 불과 30년 사이에 그 오래된 전통과 숱한 기억들이 통째로 사라지다니 참 어처구니없더라고요."

그는 이듬해 서귀포에서만 볼 수 있는 노인성에 대한 문화 콘텐츠를 개발하겠노라고 의욕적인 정책 제안서를 내놓았다. 이를 본 당시 상관은 제목을 쓰윽 보더니 "아니, 노인들에게 성을 교육하려는 겁니까?"라고 되물었다. 제법 문화에 조예가 있는 고위 간부마저 이런 반응일진대 의회를 설득하는 험난한 과정을 버텨낼 자신이 없었다. 제안서를 그 자리에서 접었더란다.

노인성을 다시 떠올린 건 퇴직 이후였다. 2016년 문화재청 생생문화재 사업 공모에 〈탐라에서 노인성을 보다〉라는 제안서를 제출했다. 다행히도 심사위원 중 2명이 노인성이라는 존재를 알고 있었다. 물론 그들도 국내에서 서귀포에서만 노인성을 볼 수 있다는 사실은 모르고 있었다. 과거 문헌을 꼼꼼히 인용한 그의 설명을 듣고서는 다들 고개를 끄덕였다.

이때부터 서귀포에서는 노인성이 문화 코드이자 천문학 코드로 다시 호명되기 시작한 것이다. 310억 광년 전에 우주에서 쏘아올린 별을 우리가 지금 서귀포에서 볼 수 있게 된 건 따지고 보면 윤봉택이라는 조용한 남자의 끈질긴 집념 덕분이다. 혹여 당신이 서귀포에 머무는 어느 날 밤, 계절과 날씨가 맞아 남성리 남성대에 올라 먼바다 수평선 근처에서 반짝이는 그 별을 보게 된다면, 그 별을 되찾아준 한 남자에게 감사할 일이다.

현영자 여사가 뿌린
복의 열매

시장에서 존재감이 거의 없었던 아버지에 비해, 어머니는 시장에서 단연 존재감이 가장 또렷한 인물이었다. 체구는 작았지만 거인 같은 포스를 풍겼다. 어머니는 단 한시도 몸을 가만히 놀리지 않았다. 손님이 없는 시간에는 콩나물을 다듬었고, 물건들을 다시 가지런히 정리하고, 장부를 들춰보다가, 손님들이 오면 자리를 치우고 수다를 떨었고, 단골 고객과의 수다 중에도 끊임없이 울리는 주문 전화를 응대하고, 어쩌다가 짬이 나면 정기구독하는 월간지

《신동아》를 열심히 들여다보곤 했다.

학교 아이들은 자기 어머니를 따라 시장에 왔다가 우리 어머니가 잡지를 읽는 걸 보고서는 무척 신기해했다. 그도 그럴 것이 당시에는 어머니들이 책을 읽을 정도로 글을 깨친 사람도, 설령 글을 안다고 해도 집에서 책을 읽는 경우가 드물었기 때문이다.

그녀는 서귀포에서 한참 떨어진 중산간 마을 가시리 구장집 '족은 각시(후처를 뜻하는 제주어)'의 딸이었다. 아들을 못 낳는 부인을 대신해 후처로 들어간 외할머니는 아들 대신 딸을 낳는 바람에 집에서 내쳐졌고, 어머니는 큰집에 맡겨졌다. 외할아버지는 당시로서는 보기 드물게 광주사범학교(현 광주교육대학교)를 나와서 초등학교 교사를 하던 인텔리였지만, 부임하는 곳마다 여자 문제를 일으켰다. 외할머니도 그중 한 명이었다.

할아버지는 여자 문제로 끝내 학교에서 물러난 뒤에 동네 구장일을 했단다. 족은 각시의 딸은 눈칫밥을 먹을 수밖에 없었지만, 그래도 명색이 교육자 집안이었기에 초등학교에 다닐 수 있었다. 가시리에서 20리 떨어진 성읍초등학교까지 날마다 걸어서 다니면서도 어머니는 공부가 너무나 재미있었더란다. 게다가 글짓기에 특별한 소질을 보여 작문 점수는 늘 일등이었단다.

가시리 명문가 출신이라고 자부하는 어머니가 왜, 어떻게 이북에서 온 남자와 결혼했을까, 내게는 의문이었다. 하지만 어린 마음에도 왠지 물어봐서는 안 될 것 같았다. 아버지의 인민군 경력에 대해 뒤늦게서야 들었듯이, 어머니의 미혼모 아픔에 대해서도 어른이 되어서야 알게 되었다.

육지에 일하러 나갔다가 어떤 남자를 알게 되었고, 사랑해서 그의 아이를 가졌지만, '육지것'을 혐오하는 외할머니의 완강한 반대로 끝내 다시 만나지 못한 채, 20대에 미혼모가 되고 말았단다. 어머니는 아이를 친정에 맡기고 일하러 갔던 부산에서 아버지를 만나게 되었고, 미혼모라는 자신의 약점 때문에 '혈혈단신' 이북 출신 남자라는 악조건을 오히려 반겼더란다.

하지만 나는 그런 두 사람의 살아온 내력도, 만나게 된 배경도 전혀 몰랐다. 그저 어머니 아버지는 취미도, 성격도, 좋아하는 계절도, 어쩌면 저리도 다 다를 수 있을까, 그런 사람들이 뭐가 좋다고 만나서 저렇게 하루가 멀다 하고 싸우기만 할까, 의아하기만 했다.

당시 '서명숙상회'는 온갖 식재료, 야채, 과일만이 아니라 된장, 간장, 고추장, 식용유, 미원 같은 가공식품 유통회사의 대리점 역할을 맡았던 가게였다. 그러니 한 달에 한두 번씩 회사 수금사원들이 대금 결제와 주문을 위해 우리 가게에 들렀다. 그들을 상대로 어머니는 이런저런 요구를 내놓기도 하고, 결제가 늦어지는 이유를 설명하기도 하고, 가격 협상을 하기도 했다. 가끔 언성이 높아지기도 하고, 유쾌한 웃음소리가 흘러나오기도 했다. 아버지는 우리 가게 배달 점원 같은 존재였고, 어머니가 가게 운영과 판매 홍보를 다 맡아서 하는, 지금으로 치면 CEO였다.

주요 고객을 상대하는 것도 다 어머니의 몫이었다. 당시 서귀포 읍내에는 신혼여행객이나 귀빈들이 머무는 특급 호텔인 허니문하우스를 비롯해 맘모스호텔 같은 제법 규모가 큰 호텔이 여럿 있었다. 솔동산 주변에는 단체여행이나 수학여행단을 상대하는 장춘여관, 유림여관, 중앙여관, 귤림여관, 남성여관 같은 여관들이 즐비했고, 뱃사람들을 상대하는 태평관 같은 요정들도 있었다. 다들 우리 가게 단골 거래처였다. 이들 주요 VIP 고객들이 오면 어머니는 이것저것 대접하면서 그들과 이야기를 나누었다.

영업에 관련된 이야기도 있었지만, 소소한 일상 이야기도 있었다. 여자 고객인 경우에는 수다 내용도 더 풍부해지고 시간도 길어지기 마련이었다. 그럴 때마다 아버지는 빗자루와 쓰레받기를 챙겨들고 어머니 근처로 가서 먼지를 풀풀 풍기면서 공격적으로 비질을 시작했고, 그제야 단골 고객들은 서둘러 얘기를 마무리짓고 이만 총총 발걸음을 재촉하곤 했다.

손님들이 가고 나면 두 사람은 본격적으로 싸우기 시작했다. 아니 큰 단골인데 그렇게 마구 눈치없이 내쫓으면 어떡하냐고 어머니는 불평하고, 아버지는 남의 가게에 와서 수다나 떠는 여편네들이라고 볼멘소리를 했다. 늘 반복되는 지겨운 싸움 레퍼토리였다.

어머니의 오지랖은 단골 고객들에게만 적용되는 건 아니었다. 우리 집 가게 앞에는 늘 대여섯 명의 다라이 장사 아주망들이 자리잡고 앉아 있었다. 집 우영팟(작은 텃밭)에서 딴 상추를 비롯한 이런저런 채소, 집에서 담근 자리젓 따위를 소소하게 파는데, 유독 우리 가게 앞에만 많았다. 다른 가게에서는 손님 출입에 방해가 된다고 못 앉게 하는데, 우리 어머니만 허락했다는 걸 다른 아주망을 통해 알게 되었다. 어머니에게 왜 그러느냐고 물어봤더니, 개구리 올챙이 적 생각해야 한다는 답이 돌아왔다. 우리 집도 버 젓한 가게를 차릴 돈을 모으기까지 혈혈단신 아버지는 지 프차 운전수로 어머니는 보따리장수로 일했다면서, 그들 의 심정을 누구보다도 잘 아는데 어떻게 내치느냐고.

단지 자리만 내주는 게 아니었다. 여름날이면 어머니는 김장을 버무리는 커다란 스텐 대야에 호텔에 납품하는 대 형 오렌지주스 가루를 한 봉지 가득 쏟아붓고 휘휘 저어 서, 배달용 얼음 한 통까지 쏟아붓고선, 우리 집 앞 다라이 아주망들과 주변에서 장사하는 이웃들을 불러모았다. 음 료라면 쉰다리(제주도에서 쌀밥이나 보리밥에 누룩을 넣어 발효시킨 저농도 알코올 음료) 정도나 집에서 만들어먹을 뿐, 주스는 생전 처음 인 아주망들은 "아고 맹숙이 어멍 덕분에 이런 것도 다 먹 어점져게" 하면서 복받을 거라고 덕담을 쏟아냈다.


그러던 어느 날 서귀포읍에서 대대적인 다라이 노점상 정비작전을 개시했다. 몇몇 장정들이 무섭게 인상을 쓰면 서 아주망들에게 빨리빨리 치우라면서 다라이들을 툭툭 발길로 치면서 위협했다. 겁에 질린 아주망들은 주섬주섬

물건을 챙기고 피난 가듯 시장을 떠났지만, 끝내 버티던 아주망들이 있었다. 단속반은 급기야 그네들의 다라이를 번쩍 들어 땅바닥에 내동댕이쳤다. 생선이 허공에 튀고, 나물이 쏟아져내리고, 계란이 산산조각 깨져서 바닥을 샛노랗게 물들였다.

그때 난 가게에 있었기에 그 광경을 똑똑히 목격했고, 가슴이 와들와들 떨려왔다. 더한 일은 그다음에 벌어졌다. 우리 어머니가 갑자기 그 단속반원들 앞으로 튀어나가는가 싶더니, 점프하듯 발끝을 한껏 들고는 그중 두 사람의 멱살을 왼손 오른손으로 동시에 잡았다. 키도 작은 아줌마가 자기보다 훨씬 키가 큰 두 아저씨의 멱살을 동시에 잡는 광경은 거의 묘기 수준이었다. 어머니는 거기에 그치지 않고 시장 바닥이 떠나갈 듯이 고래고래 소리를 질렀다. "니네는 어멍 아방도 어시냐. 이 사람들 하루 팔앙 하루 먹엉 사는 사람들인데, 아무리 나랏일이주마는 그추룩 인정도 눈물도 어시민 되크냐. 니네 면장님이 경 가르치더냐. 강 물어봐사키여."

어머니는 상점 앞 정비해주는데 대체 왜 이러느냐는 단속반원을 뿌리치고 끝내 면사무소 단속차에 올라탔다. 나는 발을 동동 구르면서 가게에서 어머니를 기다렸지만, 한동안 돌아오지 않았다. 얼마나 시간이 흘렀을까. 발갛게 상기된 얼굴로 돌아온 어머니는 내게 말했다. "못 배우민 저추룩 힘들게 살게 되는 거여. 너는 공부나 열심히 허라이." 기승전 공부를 강조하던, 너는 절대로 커서 결혼 같은 건 하지 말고, 임영신이나 황산성 같은 인물이 되어야 한다던, 그녀다운 결론이었다.

어머니 덕에 외상으로 물건을 구입한 소매상들도, 자리를 허락받고 주스도 얻어먹은 노점상들도 다들 어머니가 복받으실 거라고 했지만, 정작 상황은 정반대로 흘러갔다. 가게는 점점 번창해서 서귀포읍에서는 몇 안 되는 당좌수표를 발행하는 가게가 되었지만, 이 당좌수표가 문제였다. 귀가 얇고 사람을 잘 믿는 어머니는 육지에서 온 어떤 여자 사업가에게 아버지 몰래 거액의 당좌수표를 빌려주었고, 그녀는 차일피일하면서 끝내 갚지 않았다. '서명숙상회'는 똑똑한 어머니의 오판 때문에 결국 34년 만에 문을 닫고 말았다. 어머니가 아버지에게서 온갖 원망을 들은 건 예정된 수순이었다.

어머니가 뿌린 복의 열매를 거둔 사람은 엉뚱하게도 딸인 나였다. 걷는 길을 내기 위해 고향으로 돌아와 제주올레 1코스에서 11코스까지 성산에서 대정까지의 길을 개척하는 동안, 나는 어머니에게서 은혜를 입었다는 사람들을 숱하게 만났다. 당시 우리 가게에서 일하던 점원도 있었고, 단골 거래처 주인도 있었고, 노점상을 하다가 유명한 고기국수집 '고향생각'을 차린 이도 있었다.

그들이 증언하는 사연은 저마다 달랐다. 어머니가 명절 때마다 아버지 몰래 특별 보너스를 쥐여주었다고도 하고, 묻지도 따지지도 않고 외상을 주고서도 독촉하지 않았을 뿐더러 상당액을 감해주었다고도 하고, 열심히 살다 보면 언젠가는 노점상을 벗어나 잘 살 날이 있을 거라고 격려했다는 이야기도 있었다.

그들은 트레일이 무엇인지도 모르면서 물심양면으로 올레길 내는 일을 도와주었다. 그런 인적 네트워크는 '서명숙상회'의 통 큰 CEO 현영자 여사가 딸인 내게 물려준 거대한 유산이었다.

새로운 인연을 만들어가는 다리, 제주 전통배 '태우'를 본떠 만든 새연교는
서귀포항과 새섬을 연결하고 있다.

서귀포 바다를 걸을 때는 허밍으로 걸어라. 나의 사랑 클라멘타인!
흥얼거리며 수평선 너머 사랑을 찾으라!

나를 보듯

꽃을 보는 이 그대여

어릴 적 난 꽃에 관심이 전혀 없었다. 오히려 싫어하는 편이었다. 여자를 꽃에 비유하는 게 어린 마음에도 수동적인 이미지인 듯해서 싫었다. 스스로 나 자신을 별로 예쁘다고 생각하지 않았던 터라, 예쁜 꽃을 여자에 비유하는 게 더더욱 싫었다. 여중 시절 내가 싫어했던 여자 선생님이 여자라면 모름지기 꽃꽂이를 배워야 한다고 강조한 뒤로는 꽃이 더 싫어졌다. 꽃은 내게는 아름다움보다는 진정성을 살짝 감춘 내숭의 상징이자 생명력 없는 가냘픔으로 각인된 존재였다.

결정적으로 꽃이라는 단어가 혐오의 단어로 다가온 것은 대학교에 입학한 뒤부터였다. 1970년대 후반 당시 고려대학교는 명색은 남녀공학이지만 실제로는 남성 중심의 학교였다. 여학생 신입 회원이 서클에 들어가면 남자 선배나 동기들이 반색을 하면서 "얘는 우리 서클의 꽃이야"라고 말하곤 했다. 남학생들이 꽃으로, 그것도 예쁘지 않은 호박꽃으로 여길까 봐 나는 일부러 더 남성스러운 어조로 말하고 사시사철 청바지 차림으로 대학 시절을 보냈다.

꽃에 대한 생각을 달리하게 된 건 순전히 어머니 현영자 여사 덕분이었다. 대학교 4학년 때 고향 제주로 교생실습을 내려왔다가 어머니 아버지가 다 지켜보는 가운데, 서울에서 내려온 경찰들과 맞닥뜨렸다. 그날 다짜고짜 딸을 데려가려는 형사들에게 맞서 내 팔을 꼭 붙잡고 있던 어머니는 내가 정치사건에 연루되어 끌려가는 상황임을 알게 되자 힘없이 내 팔을 놓으셨다. 그러고는 내가 조금이라도 편하게 서울로 올라가기를 바라는 마음으로 전대 주머니에서 꼬깃꼬깃 접힌 현금을 꺼내 나와 형사 두 명의 비행기 값을 내주었고, 나는 그 길로 서울로 끌려가서 한 달 동안 모처에 불법 구금되었다가 성동구치소에 수감되었다. 박정희 대통령이 헌법을 초월해서 선포한 긴급조치 9호를 위반했다는 죄목으로.

정치범이라는 이유로 변호인과 직계가족 외에는 그 누구도 면회가 되지 않았다. 친구나 인권단체에서도 고작 책이나 영치금을 넣고선 발길을 되돌려야만 했다. 저 멀리 바다 건너 서귀포에서 1월 1일 딱 하루만 가게문을 닫는 '서명숙상회'의 CEO인 어머니는 내가 감옥에 있는 7개월여 동안 두 번이나 면회를 오셨다. 두 번 모두 서소문 서울지방법원에서 1심 재판을 방청하고 서울의 끝자락에 있는 가락동까지 택시를 타고 와서 딸의 얼굴을 잠깐 보고 간 것이었다.

대신 어머니는 일주일에 두어 차례 내게 편지를 보내왔다. 난생처음 받아본 어머니의 편지는 출소하는 그날까지 계속되었다. 어느 날 그녀의 편지를 읽다가 나도 모르게 뺨 한쪽으로 눈물이 타고 흘러내렸다. 당시 내가 수감된 사기·간통방에는 좁다란 5.5평 방에 17~19명이 늘 수용되어 있었다. 옆 동료의 일거수일투족이 실시간 동영상으로 보일 수밖에 없는 구조였다.

한 할머니 수감자가 혀를 차면서 말했다. "에구. 엄마 편지 읽다가 울고 있네. 그러니까 서울까지 유학 보내줬는데 공부나 열심히 할 것이지 왜 데모는 하고 지랄이야. 박정희 대통령이 얼마나 위대한 대통령인데. 먹고살 만해진 게 다 그분 덕인데."

어머니의 편지는 늘 구구절절하고 비감했다. 내가 수감되고 난 뒤 아버지는 술이 더 늘었고, 고등학교 3학년인 막내는 아예 학업에 뜻을 잃은 것 같고, 가게의 단골 고객 여럿이 발길을 끊었다는 식이었다. 하지만 그런 내용의 편지를 읽을 때는 눈물을 흘리지 않았다. 세상 모든 것들에 분노하고, 경멸감에 몸서리치면서 이를 악물었을 뿐.

그날 나를 울린 건, 내가 미처 몰랐던 어머니의 순정, 대책없는 낭만주의였다. 어머니는 그날도 배달 갔다가 자전거를 길가 전봇대 옆에 세워둔 채 사라져버린 남편 대신 혼자서 이웃 가게 사람들의 도움을 받아가면서 겨우겨우 가게문을 닫았더란다. 지친 몸을 질질 끌다시피 시장을 빠져나오는데 늘 시장통 입구에서 꽃을 파는 좌판 할망과 눈이 마주쳤더란다. 남은 꽃 두어 다발 대야에 담궈놓고 간절한 표정으로 어머니를 올려다보더란다. 떨이로 싸게 줄 테니 사가라면서.

워낙 꽃을 좋아하는 데다, 할망 떨이장사도 도와줄 겸 남은 꽃을 다 샀더란다. 집에 돌아와서 그 꽃들을 화병에 꽂아놓고 보니, 뜻밖에도 기분이 참 환해지더란다. 어두운 밤길에 등불이 켜진 듯도 하고, 그 꽃이 우리 딸 명숙이 같기도 하더란다. 내가 울컥 눈물을 쏟은 건 바로 이 대목에서였다. 날 보듯이 꽃을 본다니.

아, 꽃이 그런 존재로구나. 먹을 수도 없고 돈이 되는 것도 아닌데 사람에게 위로가 될 수도 있구나. 어린 딸을 감옥에 보낸 에미조차 위로해주는 꽃이라니 갑자기 꽃이라는 존재가 다르게 다가왔다. 꽃이 처음으로 내게 긍정적으로 다가온 순간이었다.


제주로 다시 돌아온 뒤 올레길에서 나로서는 '이름 모르는 꽃'들을 수도 없이 만났다. 계절마다 코스마다 다르고, 오름 구간과 바다 구간에 핀 꽃들이 달랐다. 제주 하면 사람들은 흔히 유채꽃을 떠올리지만, 길에서 가장 흔하게 마주치는 꽃은 여름 수국, 겨울 수선화다.

까만 돌담을 배경으로 함초롬히 핀 수선화는 우아하고

도 새침한 자태였다. 친구 미선이가 외돌개 입구에서 하는 카페 '솔빛바다' 근처에는 수선화가 군데군데 피어 있었다. 누군가가 내게 일러주었다. 추사 김정희가 제주 귀양 시절에 가장 사랑했던 꽃이 수선화라고.

그 이야기를 듣고 추사의 서한집을 찾아 읽었다. 그는 부인에게 보내는 편지 글에서 당대 선비들이 가장 귀히 여기던 난초가 울고 갈 만한 수선화의 단아한 자태와 그 우아하고도 기품 있는 향기에 감탄하는 한편, 꽃의 진가를 모르고 잡초라고 여겨 몽땅 뽑아버리는 제주인의 무지함을 한탄했다. 그 대목을 읽노라니 절로 웃음이 나왔다. 생활인과 예술가, 현지인과 유배인의 차이가 절로 느껴지는 대목이기에.

수국도 또 다른 발견이었다. 올레길 도로변에서, 마을 길가에, 어느 집 돌담 밑에 어디서건 볼 수 있는 게 수국이었다. 동네 어른들은 수국을 '도채비꽃(도깨비꽃)'이라면서 꺼렸다. 무당집에 내걸린 종이꽃을 연상케 하는 모습이기 때문이라는 설도, 그 색깔이 시시때때 달라져서 그렇다는 설도 있다. 수국 색깔은 연한 푸른색, 진분홍색, 보라색, 하얀색 등 다양하다. 토양이 알칼리성이냐 산성이냐에 따

사람들과 가깝게 살았던 꽃들을 보면 아주 오래전 살던 사람들이 다시 꽃으로
온 것 같다는 생각이 든다. 서귀포에는 그런 꽃들이 많다. 사람이 꽃으로 온.
그래서 사람을 보면 꽃이 보인다. 우리 어머니가 그랬던 것처럼…

라서, 그때그때 색깔을 바꾸는 꽃이 수국이니 가히 도깨비 같은 꽃이다.

여름 장마철이 지나면 수국은 바당 올레길 곳곳에서 총 궐기하듯 일제히 화르르 피어났다. 어릴 적 이야기가 영향을 미쳐서일까. 무섭지는 않았지만 특별히 예쁘다는 생각도 하지 않은 채, 무심히 그 곁을 지나치곤 했다.

수국에 대해 다른 시선을 갖게 된 건 네덜란드 여행 때였다. 난 처음 올레길을 낼 때부터 이 길 위에서 축제를 열고 싶었다. 길에서 '놀멍 쉬멍 걸으멍' 제주 풍광만이 아니라 향토 음식도 맛보게 하고 글로벌한 공연도 민속 공연도 한 자리에서 보여주고 싶었다. 걷기가 고난의 행군이 아니라 즐거운 축제가 될 수도 있음을 증명하고 싶었다. 그래서 걷기 축제에 대해 인터넷 검색을 하다가 네덜란드 네이메헨이라는 소도시에서 백년 역사를 자랑하는 걷기 축제가 열린다는 걸 알게 되었다. 그래서 언론사 후배 은주와 함께 그 축제를 보고 배우기 위해서 네덜란드를 찾았다.

그 축제 기간 중에 내 시선을 붙든 또 다른 존재는 뜻밖에도 수국이었다. 아파트가 대세인 우리나라와는 달리, 그곳에는 단독 주택이 대세였고 집들은 저마다 집주인의 개성을 한껏 드러냈다. 그 개성이 가장 두드러지게 나타나는 건 정원이었다. 정원에는 정성껏 가꾼 잔디와 꽃과 나무, 주인의 취향을 반영한 조각이나 장식품이 있었다. 헌데 그 많은 정원들의 그 다양한 꽃들 중 한결같이 주인공 노릇을 하는 꽃이 수국이었다. 제주에서는 도채비꽃이라고 집에는 들이지도 않는, 거리에 피는 수국이 잘 가꾼 정원의 주인공이라니. 새삼 수국이 달리 보였다. 그러고 보니 수국이 신부의 부케와 매우 흡사하다는 느낌을 받았다.

수국을 새롭게 보게 된 나는 이후부터 길거리에 핀 수국을 예사로이 넘기지 않고 항상 눈을 맞추고 인사를 나누게 되었다. 땀에 흠뻑 젖은 채 태양 아래 걷는 걸 좋아하는지라 수국 철인 여름이면 길섶마다 부케처럼 도열한 수국 덕분에 걷기가 갑절로 즐거워지곤 했다.

# 바람과 구름과 별들이 함께하는 관광극장

매일시장 근처에 서귀포극장이 있었다. 읍내에서 처음 생긴 영화관이었고 유일한 문화공간이었다. 영화만이 아니라 가끔 이런저런 문화행사나 특별 공연이 열리기도 했다. 우리 이웃에 사는 이경이와 자경이 어머니가 "바우고개 언덕을 혼자 넘자니 옛님이 그리워서 눈물납니다"라며 가곡 〈바우고개〉를 부르는 걸 본 것도 서귀포극장이었다. 평범한 주부로만 알았던 그녀에게 그런 놀라운 재능이 있다는 것도, 뽕짝 가요에만 익숙한 내게 그 가곡의 멜로디와 가사도 신선한 충격으로 다가왔다. 하지만 서귀포극장 시대는 그닥 오래가지 않았다.

관광극장 시대가 열렸기 때문이다. 1963년 문을 연 관광극장은 나와 초등학교 동급생인 광철이 아버지 소유였다. 당시로서는 서귀포 읍내에서 가장 큰 건물이었다. 관광 산업이 활발해지기 시작한 무렵인지라 이름조차 관광극장이었다. 관광극장에 이어 삼일극장이 들어서면서 서귀포에는 한 거리 두 극장 시대가 열렸다.

'국민학생 관람가' 영화만 그것도 학교에서 단체 관람할 때만 갈 수 있었던 극장을 6학년 말 무렵에 여한없이 드나들게 되었다. 평준화 교육 이전 세대라서 우리는 중학교 입시를 치러야만 여자중학교에 들어갈 수 있었다. 서귀포의 호경기를 반영하듯 처음으로 과외 학원이 생겨났고, 어지간한 집안 아이들은 6학년에 올라가면서 죄다 이 학원을 다녔다.

책 읽기에 푹 빠진 나는 방과 후에 책을 읽고 싶어서 학원을 다니지 않은 채 일년 내내 버텼다. 혼자 알아서 공부하겠다고 핑계를 대면서. 그러나 입시가 점점 목전에 다가오자 불안해진 어머니는 내게 한 달만이라도 그 학원을 다니라고 종용하면서 과외비를 강제로 내 손에 쥐여주었다.

그때 번뜩 뇌리를 스친 생각이 바로 이 돈이면 두고두고 영화를 볼 수 있겠다는 것이었다. 저녁마다 집을 나와서 내 발길은 학원 대신 극장으로 향했다. 당시 관광극장과 삼일극장은 대개 이틀에 한 번 꼴로 새로운 영화를 개봉했다. 두 극장을 번갈아서 다니면 날마다 새 영화를 관람할 수 있었다. 극장 검표원에게는 어른이 곧 뒤따라올 것처럼 연기를 했지만, 여러 번 계속되다 보니 표를 받는 '기도 아저씨'도 꼬마 단골 고객을 슬쩍 눈감아주었다.

그때 본 영화 중에 프랑스 여배우 카트린 드뇌브와 오마 샤리프가 나오는 〈비우〉가 기억에 남는다. 두 사람의 사랑에 초등학교 계집아이는 넋을 빼앗긴 채 집으로 돌아오고, 어머니는 그런 줄도 모르고 공부하느라고 진이 빠진 줄 알고 안타까워했다. 〈굿바이 사요나라〉에는 일본에 주둔하다가 일본 여자와 사랑에 빠진 미군 장교 역으로 말론 브란도가 나왔는데, 벚꽃 그늘 아래서 군모를 살짝 고쳐 쓰던 그의 눈빛에 괜히 '심쿵'했다.

올레길을 내기 위해 고향에 돌아온 뒤, 나는 관광극장이 있던 거리를 돌아보면서 큰 충격을 받았다. 거리는 을씨

년스러우리만큼 괴괴했다. 그곳은 더 이상 극장의 거리가 아니었다. 언덕 위의 삼일극장은 웨딩홀로 바뀌었고, 언덕 중턱의 관광극장은 굳게 문이 닫힌 채 방치되어 있었다. 줄 서서 기다리던 사람들은 온데간데없었다.

극장 주변의 집이나 상가는 오래된 '중섭식당'을 빼놓고 는 거의 빈집이거나 철시 상태였다. 내 어린 시절이 통째 로 편집당한 듯한 느낌이 들었다.

허나 올레 6코스가 이 언덕을 관통하면서 거리에 서서 히 변화가 일어났다. 이중섭미술관에 관람객들이 늘고, 올 레꾼과 미술관 손님들을 겨냥한 카페와 공방, 기념품 가게 들이 속속 문을 열었다.

지나가는 사람들이 많아지면서 이 거리의 흉물로 남은 서귀포관광극장에 대한 논의가 활발하게 오가기 시작했 다. 서귀포시는 극장 소유주에게 문화시설로 임대해달라 고 오랫동안 설득을 계속했고 마침내 주인의 허락을 얻어 내기에 이르렀다.

2015년부터 서귀포관광극장은 주말마다 시민 대상 공 연장이나 행사장으로 쓰이고 있다. 들어가 보니 극장 천장 이 뻥 뚫려 있었다. 언젠가 큰 태풍으로 지붕이 반파되자 사고를 방지하기 위해 아예 죄다 뜯어내버린 것이었다.

지붕이 뻥 뚫리자, 하늘과 구름과 바람과 별과 달이 그 공간을 채웠다. 현무암과 시멘트가 적당히 몸을 섞은 벽면에는 짙푸른 담쟁이 넝쿨이 무성하게 뻗고 올라가서 거대한 녹색 공간을 연출했다. 미니 콜로세움 같은 이 극장의 독특한 분위기에 처음 이곳을 찾는 이들은 입을 딱 벌리곤 했다.

이곳을 무대로 연중 내내 주말마다 다양한 공연이 펼쳐지곤 한다. 미니 오페라가 무대에 오르는가 하면, 실내악 4중주 선율이 흐르고, 동네 아마추어 합창단의 목소리와 장애인들의 오케스트라 연주가 울려퍼지기도 한다. 낮 공연에는 푸르른 하늘과 흘러다니는 구름이, 저녁 공연에는 달과 별들이 함께한다. 참으로 특별한 야외 공연장이다.

그대, 어느 날 주말 오후 시간대에 이중섭거리를 지나게 된다면 오래된 극장 포스터가 붙어 있는 서귀포관광극장 안으로 들어가보시라. 그리고 그곳 시멘트 계단에 털썩 주저앉아 구름, 바람과 더불어 관객이 되어보시라.

## 푸른 운동장을 가진 학교

　바다는 시장 쪽에만 있는 게 아니었다. 내가 다닌 서귀
포초등학교 근처에는 자구리라는 아름다운 바닷가가 있
다. 그래서일까. 서귀포초등학교의 교가는 '서귀포 앞바다
는 푸른 운동장'이라는 구절로 시작된다. 실제로도 그랬
다. 학교에서 조금만 걸어가면 아름다운 바닷가가 나타났
다. 그 바다는 위로는 정방폭포로, 아래로는 서귀포항으로
이어졌다.

　자구리 입구에는 신당, 굿당도 있었지만, 제남보육원이

라는 고아 수용시설이 있었다. 보육원 아이들은 모두 우리 초등학교를 다녔다. 그 아이들은 옷차림부터 완연하게 달라서 반 아이들에게 놀림감이 되곤 했다. 우리 반에도 보육원 출신 한 남학생이 있었다. 늘 검정물 들인 교복 같은 걸 입고 다녔는데 거의 단벌인 듯했다. 그 아이는 그러나 밝고 명랑한 모범생이었다. 붓글씨도 아주 잘 써서 늘 학급 미화 게시판에 걸렸고, 방학 숙제로 내준 일기를 하루도 안 빠지고 써낸 애도 그 아이뿐이었다.

당시 베이비붐 시대로 막 진입할 무렵이기도 했지만, 특히 서귀포읍은 감귤과 관광 경기 덕분에 타지에서 유입되는 인구도 많았고, 집집마다 대부분 다출산이었다. 많은 집은 10~11명에 이르렀고 대부분 6~7남매였다. 우리 집처럼 4남매는 단출한 편에 속했다.

그러다 보니 3학년 때부터는 오전반, 오후반으로 나뉘어서 등교를 하게 되었다. 시쳇말로 '2부제 수업'이었다. 학생수가 가장 많았던 시절에는 무려 1,700명이 다닐 정도였으니 단층짜리 건물밖에 없는 학교에서 2부제가 아니고서는 방법이 없었으리라. 한 반 학생 수도 거의 70명에 이르러서 선생님이 출석부를 한 번 부르려면 꽤나 긴 시간이 걸렸다.

나는 어머니의 극성 때문에 피아노 학원과 주산 학원을 아침저녁으로 다니기도 했지만, 대부분의 남자 아이들은 학교가 파하면 축구를 하거나 자치기를 했고, 여자 아이들은 고무줄 놀이를 하거나 공기 놀이를 했다. 그도저도 아니면 바닷가에 나가서 놀았다.

학교 안에도 졸졸 흐르는 자연 하천이 있었다. 남학생들은 가끔 내 신발을 그 도랑에 흘려보내서 날 울리곤 했다. 개구쟁이 남학생들은 교문으로 드나들지 않고 내게는 거대한 성벽처럼 높아 보이는 학교 담벼락을 스파이더맨처럼 기어오르다가 담임 선생님에게 걸려서 혼구멍이 나기도 했다. 30년 만에 고향으로 돌아와서 본 학교 담장은 그닥 높지 않아서 낯설었지만.

마을 도로보다 저지대에 있는 학교라서 태풍이나 큰 비가 올 때마다 운동장은 물바다가 되곤 했다. 그래서 큰 비가 예고될 때마다 임시로 휴교가 선포되었다. 학교 수업이 지겹기는 어느 시절이나 마찬가지였던지라 우리는 '내일은 학교에 나오지 말라'거나 '일찍 집으로 돌아가라'는 선생님의 말이 떨어질 때마다 환호성을 올리면서 교문을 나서곤 했다.

뜻밖의 소득도 가끔은 있었다. 큰 태풍이 불어닥친 어느 날, 비바람을 무릅쓰고 학교로 갔더니 그냥 집으로 돌아가란다. 우산은 날아가고, 우의는 찢어지고, 난리통도 그런 난리통이 없었다.

그런데 한 가게 앞에 아이들이 옹기종기 몰려앉아 있었다. 만화방과 문구점을 함께 하는 '우리문방구' 자리였다. 그 집 앞에는 태풍으로 부서진 문 사이로 튀어나온 각종 문방구가 나뒹굴고 있었다. 공책, 풍선껌, 크레파스, 도화지, 스케치북…. 아이들은 엎드려서 그 물건들을 챙기기에 바빴다. 문방구 주인은 결핵을 앓고 있는 키 크고 삐쩍 마른 아저씨였는데, 웬일인지 난리통에 모습도 보이지 않았다. 나도 그날 무언가를 한 가지 챙겼다. 그래서인지 나중에 그 문방구 앞을 지날 때마다 나도 모르게 얼굴이 빨개지곤 했다.

태풍 부는 날은 학교만이 아니라 집 또한 해방구였다. 물건들을 죄다 안으로 들여놓고 가게 문을 단단히 잠그고 그것도 모자라 군데군데 돌까지 얹어놓는 대대적인 재해 예방 작업을 마친 뒤로는 임시 휴일처럼 문을 닫는 날이 바로 태풍 부는 날이었다. 어머니는 모처럼 밀린 잠을 청하시고, 실향민인 아버지는 술 친구를 찾아서 낮술을 마시는 날이기도 했다.

철부지 세 동생들은 살림꾼인 큰언니가 전기가 다 나간 어둑시근한 부엌에서 촛불을 켜놓고 석유곤로에 끓여준 라면을 먹으며 진심으로 행복해했다. 라면이야 우리 가게에서 파니까 맘만 먹으면 늘 먹을 수 있었다. 하지만 날마다 정신없이 바쁘게 돌아가는 우리 집에 모처럼 휴식과 정적이 찾아오고, 어둠 속에서 창밖의 거센 비바람 소리를 들으며 라면을 먹는 건 묘한 쾌감을 동반했다.

태풍이 부는 바닷가를 구경하는 것도 우리의 즐거움 중 하나였다. 천지연이 내려다보이는 언덕 위에 서면 바다에 나지막하게 엎드린 새섬을 집어삼키면서 우리가 서 있는 육지를 향해 으르릉대며 달려드는 파도를 구경할 수 있었다. 아무리 무서운 해일, 높은 파도라도 이 언덕까지 올라오지는 않는다는 걸 경험상 잘 아는 동네 꼬마들이었기에 우리는 폭죽 구경을 하듯 태풍을 즐기곤 했다.

그런 개구쟁이들을 더 이상 수용하기 힘들어지자 마침

솔동산과 매일시장을 품은 서귀포초등학교. 학교에서 조금만 걸어가면
아름다운 자구리 바당이 나타나고, 위로는 정방폭포로, 아래로는 서귀포항으로 이어졌다.
자구리 바당은 우리의 또 다른 학교였다.

내 우리가 5학년으로 올라갈 무렵 분교가 이루어졌다. 윗동네에 살던 아이들이 남도초등학교라는 신설학교로 대대적으로 전학을 갔다. 우리는 운동장의 돌멩이를 학생들이 직접 골라내야 하는 작은 신설학교로 가는 친구들을 딱하게 여겼다.

그러나 내가 중학교로 진학한 이후 서귀포읍의 도심은 점점 바닷가에서 한라산 방향으로 옮겨가기 시작했다. 그뿐이 아니었다. 내가 고등학교로 진학하면서 서귀포를 떠난 이후, 서귀포의 외연은 국경선처럼 여겨졌던 외돌개를 넘어서서 신시가지로 확장되기에 이르렀다.

올레길을 내려고 고향 서귀포로 내려온 뒤에 서귀포초등학교를 찾아가니 만감이 교차했다. 학교 교정을 흐르던 실개천이 없어지고, 잔디 운동장으로 바뀌고, 1층짜리 교사도 2층으로 올라가고 번듯한 기념관도 들어섰다. 그러나 교문으로 시끌벅적하게 드나들던 학생들은 거의 눈에 띄지 않고, 교문 앞 문방구도 사라지고 없었다.

알고 보니 쇠락한 구도심에 있는 서귀포초등학교는 과거에는 시골 학교로 취급되었던 윗동네 학교들에게 밀리는 처지가 되었다. 이제는 학생 수도 100명 남짓밖에 되지 않는단다.

처음 올레 6코스를 개장할 때 일부러 서귀포초등학교를 거치도록 했다. 외지에서 오는 올레꾼들에게 한때는 서귀포읍의 심장부나 다름없던 서귀포초등학교를, 우리 학교의 푸른 운동장을 보여주고 싶었기에. 하지만 그마저도 10년 세월이 지나면서 코스가 변경되어 서귀포초등학교는 그냥 지나치게 되었다.

서울에서도 예전에 명성을 누리던 사대문 안의 학교가 학생 수 감소로 폐교 위기를 맞는가 하면, 예전에 미나리밭이었던 강남 일대의 학교가 신흥 명문교로 등장한 지 오래다. 번성했던 곳이 쇠락하고, 변방이던 곳이 새로운 중심으로 떠오르는 것. 도시의 피할 수 없는 숙명이요, 자연스러운 섭리가 아닐까 싶다. 그곳에 기억과 추억을 묻어둔 이들에게는 쓸쓸하기 짝이 없는 일이지만.

## 공원은 자연으로의 가장 빠른 탈출

　공원의 아름다움을 처음 느낀 건 2003년 가을 캐나다에서였다. 여행이라기엔 좀 서글픈 여정이었다. 내 젊은 시절 피는 뜨거웠고 열정은 넘쳤지만 어떻게 살아야 하는지 방향을 못 잡던 시골뜨기에게 한 멋진 선배가 나타났다. 남녀공학인 고려대에서는 보기 드문 여자 선배, 천영초였다. 그 선배가 하는 모든 말과 행동이 다 근사해 보였다. 요즘 말로 하면 그녀는 내 '롤 모델'이었다.

　그런 그녀가 어느 날 한국에서 이루고자 했던 모든 것을 포기하고 하나뿐인 혈육인 아들을 데리고 캐나다 토론토로 이민을 떠났다. 먼 타국 땅에서 오랜 고생 끝에 마침내 집을 장만했다는 이야기를 듣고 마음을 놓던 차에, 느닷없이 교통사고 소식이 들려왔다. 뇌를 크게 다쳐 의식이 없다고 했다. 그런 그녀를 만나야만 한다는 절박감에 난 정치부 데스크이면서 대통령 선거를 두어 달 앞둔 긴박한 상황에서 보름간 휴가를 내서 캐나다행 비행기에 몸을 실었다.

병원에서 의사소통을 한마디도 못하는 그녀를 보는 건 인내심이 없는 내게는 지독한 형벌이었다. 젊은 날 나라의 민주화를 위해, 노동자의 권리를 위해 출세를 포기하고 이타적으로 대의를 위해 살아온 생애가 이렇게 귀결되다니, 세상의 모든 것이 다 원망스럽고 무정하게 느껴졌다.

캐나다를 한시바삐 떠나고 싶었다. 하지만 경유지인 밴쿠버공항에서 바깥을 내다보는 순간, 갑자기 마음이 180도 달라지고 말았다. 이미 내 짐은 화물칸에 실렸지만, 난 동행한 친정언니에게 그 짐을 인천공항에서 대신 찾아달라고 부탁했다. (어떻게 그런 일이 가능했는지는 지금도 잘 모르겠다. 화물만 부치고 주인이 안 타면 요즘은 비행기가 아예 뜨지 않는다고 하는데.)

난 사흘 뒤 떠나는 비행기편을 다시 예매하고 혼자 남았다. 왠지 그래야만 할 것 같았다. 살벌하게 추워서 가뜩이나 스산한 내 마음을 더 얼어붙게 만든 토론토와는 달리, 밴쿠버는 고향 서귀포를 떠올리게 만들었다. 따뜻했을뿐더러 무엇보다도 내 영혼의 젖줄이나 다름없는, 내 흔들리는 마음의 닻을 정박시킬 수 있는 바다가 있었다.

그곳에는 기대하지 않았던, 또 다른 선물이 있었다. 스탠리공원은 공항 창밖으로 보인 밴쿠버 풍경에 마음을 뺏겨 갑작스레 밖으로 나온 변덕스러운 여행자에게 주어진 로또 같은 선물이었다. 공원은 온종일 걸어도 다 못 걸을 만큼 너른 듯했고, 곳곳의 아름드리 나무들은 그 수령이 짐작조차 가지 않았다. 군사정권 시절 국군의 날 퍼레이드나 국풍 공연 같은 대규모 관제 행사가 열리던 광장에서 조순 서울시장 시절 공원으로 그 성격이 바뀐, 없는 것보다야 훨씬 낫지만 아직은 어설픈 여의도공원만 보던 내게는 문화적 충격이었다. 아, 공원이 이토록 깊고 넓고 유장할 수도 있구나. 나는 밴쿠버에 머무는 사흘 내내 스탠리공원을 찾았다. 토론토에서 영육간에 얼어붙었던 마음을 스탠리공원에서 녹여내고 무거웠던 삶의 무게를 내려놓는 기분이었다.

공원의 매력을 다시금 느낀 건, 올레길을 내고 난 뒤 떠난 뉴욕행에서였다. 2009년 봄 뉴욕의 교민단체가 맨해튼과 브루클린 두 곳에서 교민들을 대상으로 특강을 해달라고 초청했다. 해외 교포들에게 한국의 올레길을 제대로 소개할 수 있는 기회라는 생각에 선뜻 응했다.

그곳에 열흘간 머무는 동안, 내게 가장 큰 즐거움은 엠파이어스테이트 빌딩 같은 초고층 건물 구경도, 화려한 브로드웨이 뮤지컬 무대도, 수준 높은 컬렉션을 자랑하는 뮤지엄도 아니었다. 뉴욕의 심장부에 자리잡은 센트럴파크였다. 때마침 벚꽃이 흐드러지게 피는 계절이었다. 일본에서 가져와서 심었다는 호숫가의 아름드리 벚나무는 잔잔한 수면 위에까지 그 가지를 흐드러지게 늘어뜨린 채 서 있고, 나 홀로 여행자인 나는 그 나무둥치에 기대어 독서삼매경에 빠지곤 했다. 우리나라 같으면 서울 명동 근처에 공원이 있는 격이었다. 그것도 생색내기용이 아니라 어마무시하게 너르디너른.

이 공원의 매력에 빠져든 내게 누군가가 센트럴파크의 조성 내력이 담긴 책자를 주었다. 아, 거기에는 이 공원을 세계적인 명소로 만들어낸 사람들의 스토리가 담겨 있었다.

맨해튼이 한창 도시로 도시로 확장을 거듭할 무렵 이 센트럴파크 부근은 채석장, 돼지농장, 무단 입주자들의 판자촌이었다. 맨해튼의 도시 설계자인 로버트 모지스가 이 구역을 현대화할 계획을 세우고 설계에 매진하던 중 누군가가 그에게 전혀 다른 차원의 제안을 했다. 대규모 개발 대신 공원을 만들라고, 지금 맨해튼 중심부에 어마어마한 크기의 공원을 설계하지 않으면 5년 후에는 똑같은 크기의 정신병원을 지어야 할 것이다, 어느 쪽이 더 현명한 일인가라고.

남북의 직선거리만도 4.1킬로미터에 이르는 매머드 공원을 세계에서도 땅값이 가장 비싼 이곳 맨해튼에 조성하는 프로젝트는 한때 건설업자들과 개발론자들의 강력한 비판과 반발에 직면했다. 이곳에 살던 1,600명의 가난한 입주자들과 이민자들을 이주시키는 것도 큰 일이었고, 거대하고도 황폐한 채석장과 돼지농장과 판자촌을 철거하는 것도 어마어마한 작업이었다.

하지만 기적을 응원하는 물결 또한 거셌다. 1850년 저널리스트인 윌리엄 브라이언트가《뉴욕포스트》에 공원 건설 캠페인을 시작하자 많은 시민들이 호응하고 나섰다.

'근대 조경의 아버지'라 불리는 프레드릭 로 옴스테드와 건축가 칼베르트 바우스는 실제적인 작업을 진두지휘했다. 10만 수레의 돌과 흙을 퍼붓고, 50만 그루가 넘는 나무와 관목을 심고, 언덕과 풀밭 호수까지 인간의 손으로 만들어낸 것이다.

그렇게 조성된 미국 최초의 도심공원 센트럴파크. 이 공원은 하늘을 찌를 듯 빌딩 숲속에 사는 뉴요커들에게는 오아시스나 다름없다. 뉴요커들은 이곳에서 노를 저으며 보트를 타고, 자전거 바퀴를 굴리고, 풀밭에 앉아 쉬고, 그림을 그리고, 데이트를 즐긴다. '공원은 자연으로의 가장 빠른 탈출'이라고 정의한 프레드릭 로 옴스테드가 의도한 대로.

하지만 뉴욕을 다녀온 그해 가을 중문 대포동에서 서귀포 구도심으로 이사를 하고 난 뒤 나는 비로소 서귀포에도 다 합치면 센트럴파크나 스탠리공원 못지않은 규모에 그보다 더 자연스러움이 살아 있는 5개의 공원을 산책하는 즐거움을 날마다 누리게 되었다. 내가 고향을 떠나 있던 시기에 만들어진 걸매생태공원, 칠십리시공원, 자구리공원, 서복공원, 정모시공원은 내게는 로또 같은 선물이었다. 로또 상금과는 달리 탕진되지도, 사라지지도 않는.

"사람이 아무리 느리게 걸어 다니면서 본다 해도,
세상에는 늘 사람이 볼 수 있는 것보다
더 많은 것이 있다. 빨리 간다고 해서
더 잘 보는 것은 아니다. 진정으로 귀중한 것은
생각하고 보는 것이지 속도가 아니다.
사람의 기쁨은 결코 가는 데 있는 것이 아니라,
존재하는 데 있기 때문이다."
– 알랭 드 보통,《여행의 기술》중에서


먼 길을 걷고 돌아와 천천히 매일 서귀포를 걷는다.
길을 내고 걷는 것이 중요한 것이 아니라
사람들이 길을 걸으며 행복했으면 좋겠다.
길 위의 모래 한 알, 길섶에 사는 풀잎처럼, 풀꽃처럼
소소한 그 길이 소중했으면 좋겠다.
그것이 존재의 이유라는 것을 알았으면 좋겠다.

2부

대서양 땅끝에서
잇츠 서귀포를 외치다

서귀포에서만 볼 수 있는 네 개의 섬이 있다. 섶섬, 문섬, 새섬, 범섬.
그 무인도에도 길이 있을까. 어렸을 적 내 마음의 배는 그 섬으로 떠나곤 했다.

모든 길은 '치유'다. 길 위에서 내딛는 걸음걸음은 우리를 치유로 인도한다.

# 몽상가를 위해 존재하는 구름

어릴 적 나비 못지않게 좋아했던 게 구름이었다. 한없이 가볍고 무한히 자유롭고 경계를 넘나든다는 점에서 비슷했다. 나비와 구름은 늘 상상의 나래를 태워서 나를 머나먼 미지의 세계, 매혹적인 곳으로 데려갔다. 내가 머물고 사는 공간이 답답하게 여겨질수록 구름의 존재는 더 크게 다가왔다.

그 당시 어머니와 아버지는 거의 매일이다시피 싸웠다. 두 사람은 무엇 하나 맞는 게 없는 듯했다. 쓰는 언어도 제주 사투리와 함경도 사투리로 완전히 달랐고, 손님을 대하는 방식도 달랐고, 적극적인 성격과 무뚝뚝한 성격도 완전히 판이했다. 가장 큰 차이는 더위와 추위에 대한 적응력인 듯했다. 아버지는 더운 여름이면 서귀포 특유의 몸에 척척 감겨드는 습기와 와랑와랑한 햇살을 못 견뎌했다. 배달을 다녀오는 아버지의 얼굴에는 땀이 빗줄기처럼 줄줄 흘러내렸고 아예 겉옷을 벗어버린 러닝셔츠 차림의 웃통은 땀으로 흠뻑 젖어 있었다. 아버지는 서귀포의 더위가 지긋지긋하다는 듯, 별거 아닌 일에도 소리를 빽 질렀다. 반면 늘 쾌활하고 사교적인 어머니이건만 겨울만 되면 온몸이 오그라드는 듯 늘 움츠리고 종종걸음을 쳤다.

어머니 아버지가 이런저런 이슈로 언성이 높아질 때면 난 슬그머니 집을 나서서 자구리 바당이나 서귀포항, 천지연 쪽으로 나갔다. 할 줄 아는 놀이가 없다 보니 함께 놀아줄 친구도 없었다. 정처 없이 주위를 헤매고 다닐 때 내 마음을 가장 빼앗은 건 수평선 위에 걸쳐진 구름, 새섬과 문섬을 배경으로 떠 있는 구름, 머리 위 하늘을 흘러가는 구름들이었다. 천 가지 만 가지 모습으로 나타났다가, 시간이 흐르면서 삽시간에 모습을 바꾸는 구름의 존재는 하늘이라는 캔버스를 아름답게 장식하는 창조주의 예술 작품 같았다.

아름다움도 아름다움이려니와, 나는 그 구름이 누리는 자유가 너무나도 부러웠다. 그 시절에는 애어른 할 것 없이 육지 한번 나간다는 건 대단한 일이었다. 항구 근처에서 넋을 놓고 흘러가는 구름을 쳐다보았다. 너희들은 어디든지 맘대로 갈 수 있으니 너무 좋겠구나, 하면서. 가끔은 그들에게 묻기도 했다. 파리는 어때? 로마는? 아테네는? 너희는 그런 곳도 가봤을 테지. 어느 도시가 가장 아름다웠어?

대학 입학으로 그토록 동경하던 서울에 올라오고 나서부터 난 구름을 거의 보지 못하게 되었다. 올려다볼 새도 없거니와, 올려다봐도 하늘은 높은 빌딩에 촘촘히 가려 구름을 보기 힘들었다.

직장생활을 시작하면서는 구름은 내게서 더 멀어졌다. 새벽 첫 전철로 출근해 마지막 전철로 퇴근하고, 낮 동안에는 국회에서 죽치거나 회사에서 원고를 쓰는 생활을 하는 나날이 계속되었기에 하늘을 올려다볼 새도, 구름을 구경할 새도 없었다.

2003년 《시사저널》 편집장 시절 새로 부임한 대표와 맞지 않을 것 같아 사표를 내야 하나, 보직만 사퇴하고 평기자로 돌아가야 하나 망설이다가 일단 사흘 휴가를 내서 제주로 내려갔다. 오랜 친구 허영선 시인이 내게 비양도나 한번 다녀오자고 했다. 그날 그녀와 나는 비양봉에 올라서 둘 다 정상에 있는 등대에 기대어 앉아 눈앞에 광활하게 펼쳐진 바다와 하늘, 그리고 그 사이를 떠가는 구름을 쳐다보았다. 나도 모르게 눈물이 또르르르 뺨을 타고 흐르는 걸 느꼈다.

저 푸르른 하늘, 흘러가는 구름을 본 게 대체 얼마 만인가. 기억마저 가물가물했다. 나 자신이 너무나도 불쌍했다. 어린 소녀가 내 발치에 앉아 우는 것 같았다. 난 그 소녀의 머리를 맘속으로 가만히 쓰다듬었다. 그 회색빛 도시에서 살아내느라고 참 애썼구나. 마치 둑이 무너져 봇물이 터진 듯 눈물이 하염없이 흘렀다. 속 깊은 친구 영선이는 짐짓 딴 곳을 보는 척했다.

영선이 집으로 돌아가자마자 난 조금도 망설이지 않고 회사 홈페이지에 접속해서 메일로 사표를 전송했다. 제주에서 흰구름을 바라보면서 동경했던 서울, 좁은 제주에서는 누릴 수 없는 구름 같은 자유를 줄 수 있으리라 기대했던 서울이었다. 기자만 된다면 사회 정의를 실천하면서 하루하루 멋지게 살 수 있으리라 믿었다. 하지만 서울에서의 기자 생활은 그 좋아하는 구름 한번 제대로 볼 수 없는 극한 도시의 극한 직업이었음을 뒤늦게야 깨달았던 것이다.

그 뒤 난 여러 나라, 여러 곳을 떠돌면서 인상적인 하늘과 구름을 보았다. 산티아고 길을 걷던 첫날 피레네산맥 맨꼭대기에 섰을 때 발아래 엎드린 수많은 연봉과 산아래 마을들 사이에도 구름이 걸쳐져 있었다. 제주올레와 우정의 길 협약을 맺은 스위스 레만호수 근처 길을 걸을 때도 구름은 친구처럼 반겨주었다. 네팔 포카라에서 출발해 안나푸르나베이스캠프까지 가던 14박 15일의 트레일 중에도 가장 든든한 길벗은 구름이었다.

오랜 떠돌이 생활 끝에 고향 서귀포로 돌아온 뒤로는 다른 세계에 대한 동경이나 고향을 벗어나고픈 욕구 때문이 아니라, 그냥 구름 그 자체의 아름다움과 몽환을 사랑하게 되었다.

서귀포에서는 아름다운 푸르른 태평양, 그것도 저마다

세상의 유랑하는 모든 구름들은 서귀포로 온다. 그리움처럼 사랑의 눈물처럼
잊히지 않는 어떤 기억처럼 밀려오는, 배낭을 멘 구름들.

다른 아름다운 자태를 뽐내는 다섯 개의 섬을 배경으로 한 바다와 사시사철 그 색조와 프로필을 달리하는 한라산을 무시로 넘나들면서 마을을 들러서 잠시 쉬었다가 가는 구름을 볼 수 있다. 바다만도, 산만도, 마을만도 아니라서 그 구름들의 변주곡은 현란하기 이를 데 없다.

헌데 어느 날 인터넷을 뒤지다 보니 나 같은 사람들이 제법 많아서 세계 120여 개국 사람들이 회원으로 가입한 '구름감상협회'가 있다는 것을 알게 되었다. 구름 구경을 너무나도 좋아하던 영국의 한 남자가 친구가 초청한 특강에 응하면서 강연 제목에 '구름감상협회 회장 취임 기념'이라고 쓴 게 발단이었단다. 그날 특강을 들은 사람들 중 여럿이 대체 어떻게 하면 그 협회에 가입할 수 있느냐고 묻기에 이 엉뚱한 남자는 아예 정식으로 기구를 만들었고, 나날이 그 회원 숫자가 불어나서 지금은 4만 5,000명에 이른다.

이 단체는 자못 엄숙한 선언문까지 내놓았다. 그중 일부를 인용하면 다음과 같다.

우리는 사람들에게 구름은 하늘의 감정 표현이며 사람의

얼굴 표정처럼 읽어낼 수 있음을 알리고자 한다. 우리는 구름이 몽상가를 위해 존재하며 사색이 몽상가의 영혼을 이롭게 한다고 믿는다. 구름에서 보이는 형태에 대해 사색하는 사람은 모두 정신과 상담료를 아끼게 되리라.

올레꾼 중 상당수는 대도시의 직장 생활에 지쳐 힐링과 위안을 얻고 싶어서 제주를 찾았노라고 하면서도, 정작 길에서 하늘 한 번, 구름 한 번 올려다보지 않는다. 그저 고개를 푹 숙이거나 아니면 전방을 똑바로 주시하면서 마지막 목적지를 향해 부지런히 발길을 재촉할 뿐이다. 하늘이 빚어낸 어마어마한 예술작품이 눈 위에 펼쳐져 있는데도 말이다. 올레길에서는 제발 하늘 한 번, 구름 한 번 올려다보시기를! 하늘이 주는 또 다른 선물을 놓치지 말기를!

우리 마음을 밝혀주는

서귀포 귤꽃 향기

귤, 감귤, 밀감 여러 가지 이름으로 불리지만, 우리 어린 시절에는 '미깡'으로 통했다. 어른들은 시장통에 모이기만 하면 '올해는 미깡이 잘 되고, 안 되고'를 화제로 삼았다. '미깡 가격이 올해는 좋고, 안 좋고' 또한 그 뒤를 잇는 화제였다. 서귀포에 깊은 트라우마를 남긴 1970년 남영호 사고 역시 배가 침몰한 주 원인은 겨울 대목을 맞아 잔뜩 선적된 감귤의 어마어마한 무게 때문이라는 게 정설이다.

서귀포 주민들에게는 감귤이 가장 큰 소득원이었기에,

자연히 큰 과수원을 가진 사람은 멀고 가까운 친척은 물론
이고 이웃들의 부러움을 샀다. 시장통에서 가장 손님이 많
고 규모가 큰 식료품 도매상을 하면서도 어머니는 늘 과수
원을 가진 이들을 부러워했다. 중산간 마을 가시리 출신이
어서였을까. 그녀는 '사농공상' 의식에 사로잡혀 있었고,
은행 예금보다는 땅을 더 갖고 싶어 했다.

초등학교 4~5학년 무렵에 드디어 우리 집에도 감귤 과
수원이 생겼다. 차곡차곡 모아둔 돈으로 어머니가 바닷가
근처인 우리 집에서는 한참 떨어진 서홍리에 1,800평짜리
과수원을 사들인 것이었다. 하지만 아버지는 영 마뜩치 않
아했다. 과수원은 무슨 놈의 과수원이냐, 그 돈이면 가게
를 늘리거나 이잣돈을 빌려주겠다, 장사하기만도 바쁜데
어느 세월에 그 과수원 농사를 짓느냐 등. 나는 과수원은
왜 쓸데없이 사들여서 이렇게 집안을 시끄럽게 하는지 어
머니가 원망스러웠다. 하지만 어머니는 과수원을 사니 꿈
만 같다면서 한동안 땅 문서를 품에 안고 잠을 청했다.

그래도 겨울 수확철이 되면 가끔은 과수원에 부모님을
따라서 올라가곤 했다. 지금은 높은 아파트가 들어선 번화
가가 되었지만, 당시에는 읍내에서 꽤 떨어진 변두리였다.

게다가 난 지금처럼 걷기를 즐기는 올레꾼도 아니고, 방구석에 처박혀서 만화나 동화책 그리고 언니가 사들인 여성지를 닥치는 대로 읽어치우는 게 유일한 취미인 게으르기 짝이 없는 아이였다. 과수원 가는 길은 얼마나 길고 지루하던지. 아득한 천리길처럼 여겨졌다.

하지만 어른들이 일하는 동안 샛노란 감귤이 가지가 부러질 만큼 주렁주렁 달린 나무들 사이를 걸어다니는 일은 즐거웠다. 과일은 그닥 좋아하는 편은 아니었지만 나무에서 갓 따서 먹는 귤 맛은 정말이지 최고였다. 달콤새콤한 즙이 혀를 적실 때의 그 느낌이란.

그보다 더한 즐거움은 어른들이 선과 작업을 하는 관리사에서 가장 멀리 떨어진 과수원 외진 귀퉁이에 가서 먼바다를 하염없이 바라보는 일이었다. 중산간 언덕배기 과수원에서는 문섬, 섶섬이 바다 위에 마치 눈썹처럼 걸려 있었다. 고개를 돌리면 한라산 꼭대기에는 뭉게구름이 몽실몽실 피어올랐다. 나는 속으로 '아 설문대할망이 담배를 피우시나 보다' 상상하곤 했다.

그러다가 가끔은 까무룩하게 잠이 들기도 했다. 멀리서 어머니가 "맹숙아!" 부르는 소리가 아련히 들려오면 나는 소스라치게 놀라 잠에서 깨어났다. 그때 잠시 찾아든 생각은, '과수원은 시장보다 참 평화롭구나'였다.

감귤 과수원과 우리 집의 인연은 그러나 오래가지 않았다. 통일만 되면 지프를 하나 사서 우리 남매들을 다 태워 고향인 무산까지 갈 생각만 하던 아버지는 끝내 어머니의 과수원을 용납하지 않았다. 해마다 아버지는 감귤 값이 떨어지면 떨어진 걸 이유로, 과수원에 돌림병이 돌면 그걸 핑계로, 어머니에게 과수원을 처분하라고 몰아세웠다. 견디다 못한 어머니가 과수원을 팔아버린 건 내가 고등학교를 졸업할 무렵이었다. 시원섭섭했다.

올레길을 내려고 귀향한 이듬해, 중학교 친구가 내게 솔깃한 제안을 했다. 수확철을 넘겨가는데도 귤을 딸 인부를 못 구하겠으니 사람들을 데리고 와서 감귤을 따고 딴 만큼 갖고 가라는 것이었다. 한집에 사는 육지 후배들에게 이야기했더니 다들 쌍수 들고 환영했다.

우리는 서귀포 시내에서 꽤 가까운 그 친구의 과수원으로 갔다. 다른 셋은 과수원에 들어서는 것 자체가 첫 경험이었다. 나는 초등학교 시절에 이미 드나들어본 경험이 있는지라 익숙한 척 폼을 잡았다. 하지만 한두 시간이 흐르면서 내 실력은 이내 들통이 났다.

한 나무인데도 땅에 끌릴 만큼 낮은 가지부터 고개를 한창 젖히고 발끝을 다 들어서야 겨우 닿는 높은 가지까지 높이가 다 제각각이었다. 처음에는 엎드려 기도하는 자세로 따다가 나중에는 공중 발레를 해야 하는 식이었다.

두어 시간쯤 흘렀을까. 난 무한히 반복적이면서도 높낮이가 다른 근육 노동에 지친 나머지 포기를 선언했다. 안 쓰던 근육이 죄다 동원되는 바람에 온몸이 욱신욱신 쑤셔왔기 때문이다. 하지만 '육지것'으로 불리는 내 후배들은 그 뒤로도 서너 시간, 해가 저물어갈 때까지 쉬지 않고 이 나무 저 나무를 옮겨다녔다. 주인인 내 친구가 너무 많이 따가지 말라고, 이젠 그만하라고 말릴 때까지. 그날 밤 나는 이곳저곳에서 비명을 질러대는 근육들의 호소로 잠을 이루지 못했고, 그 통증은 꽤 여러 날 계속되었다. 그날 이후 난 과수원 농사 일을 하는 모든 주인과 일꾼들을 존경하기로 했다.

혹독한 감귤 수확 체험을 하고 난 이듬해였다. 중문에

살던 나는 어느 봄날 늦은 시간에 시내버스에서 내려 풍림 빌리지로 가는 제법 긴 마을 올레를 걸어갔다. 덥지도 춥지도 않은 기분 좋은 봄바람이 목덜미를 살살 간질이고 휘영청 밝은 달이 머리 위에서 말을 걸어왔다. 아, 제주에 내려오기를, 서울을 떠나기를 정말이지 잘했구나, 낮 동안 새로운 길을 탐사하느라 몸은 지쳤지만 마음은 홀가분하고 날아갈 것 같았다. 그때였다. 내가 그 황홀하리만치 아찔한 내음을 맡게 된 것은.

어린 시절 나는 〈오렌지 향기는 바람에 흩날리고〉라는 노래 제목을 소설책에서 접하곤 오렌지 향기는 과연 어떤 향기일까 상상에 빠져들곤 했다. 지천에 널린, 늘 언제나 마음만 먹으면 볼 수 있는 주변의 감귤나무들도 오렌지 향기 못지않은 진한 향기를 풍긴다는 건 까맣게 모르고 있었다. 겨울 수확철에나 부모를 따라서 과수원에 갔던지라 봄날 과수원에 어떤 향기가 감도는지 알 턱이 없었다.

어디에서 그 향기가 풍겨오나 싶어서 고개를 돌렸더니 동네 어귀의 과수원이었다. 가까이 다가갔더니 그 향기는 더 짙어졌다. 치자꽃 향 같기도 찔레꽃 향 같기도 했지만, 더 진하고 더 유혹적이었다. 그 향의 진원지는 작은 별처럼 나뭇잎 사이에서 뾰족뾰족 올라온 희디흰 귤꽃이었다. 귤꽃을 제대로 본 것도 그때가 처음이었다.

그날 나는 서슴없이 오렌지꽃에서 귤꽃 향기 예찬론자로 개종하고 말았다. 봄날 서귀포를 찾는 지인들을 꼭 한밤중에 끌고 나가서 가까운 과수원 근처로 데려가 귤꽃 향기를 맡아보게 한다. 사람들은 한결같이 그 향기에 한 번, 꽃모양에 또 한 번 놀란다. 내가 처음 귤꽃 향기를 맡은 그 봄밤처럼 밤이면 향기가 더 멀리, 더 진하게 퍼져나간다. 서귀포의 아름다운 봄밤에 화룡점정은 단연 귤꽃 향기다.

## 대서양 땅끝에서<br>"잇츠 서귀포!"를 외치다

예전에 서귀포 사람들에게 허니문하우스는 서귀포에 있되, 서귀포 너머에 있는 꿈의 궁전이었다. 그곳은 정방폭포를 지나, 소정방폭포를 지나서, 바다가 보이는 절벽에 세워진 호텔이었다. 소정방폭포는 서귀포 토박이들에게는 가장 인기 있는 여름 피서지였다. 그곳 절벽에서 떨어지는 폭포 물을 맞으면 신경통, 관절염을 치료하는 데 두루 좋다는 이야기가 있었다.

정방폭포나 천지연폭포 물은 절벽이 너무 높은 데다 접

근하기가 힘들었다. 하지만 소정방폭포는 적당한 높이에서 떨어지는 데다 접근성이 좋아서 지역 주민들은 '소정방물맞기'를 여름철 연례행사처럼 치르곤 했다. 대부분 서귀포읍 관내에 사는 주민들이지만, 가끔은 저 멀리 성산포나 대정읍에서 원정을 오기도 했다.

폭포 맞은편에는 울퉁불퉁한 바위들을 편편하게 고른 뒤에 커다란 솥을 걸어두고 닭을 푹푹 삶는 이들도 더러 있었다. 시원하다 못해 몸이 덜덜 떨리는 폭포 물을 맞다가 나와서 닭다리를 뜯거나 그럴 형편이 안 되면 찐 고구마나 감자라도 먹는 게 서귀포 사람들의 특별한 피서였다.

하지만 소정방폭포 옆 허니문하우스의 풍경은 아래쪽 지역민들이 연출하는 풍경과는 판이했다. 육지에서 온 젊은 신혼여행객들로 북적거렸다. 당시 서귀포 거리 곳곳마다 명승지를 점 찍듯이 찾아다니면서 관광택시 운전기사가 시키는 대로 닭살스러운 포즈를 취하곤 했다. 흐르는 콧물을 옷소매에 쓱쓱 닦던, 머리엔 이가 득실거리고 얼굴에 버짐꽃이 핀 시골 아이들은 그런 그들을 보며 뒷전에서 킬킬거리거나 손가락질을 해댔다.

우리에게 묘한 부러움과 열등감을 자아냈던 신혼부부

들 중에서도 가장 주머니 사정이 두둑한 이들이 찾는 특급 호텔이 절벽 위에 자리한 허니문하우스였다. 어린 내가 그런 사정을 빠삭하게 알게 된 것은 순전히 '서명숙상회'가 그 호텔에 식재료를 총괄 납품하는 가게였기 때문이다. 우리 가게는 평소에 취급하는 간장, 된장, 고추장, 식용유, 햄, 소시지, 설탕 따위의 양념과 부식만이 아니라 시장통의 생선이나 육류까지 다 도맡아서 납품했다.

허니문하우스에 묵는 손님은 집안 좋고 경제적으로 여유로운 신혼부부만이 아니었다. 그곳 최고의 VIP는 따로 있었다. 다름 아닌 박정희 대통령이었다. 제주도를 자주 찾았던 박 대통령은 제주에 1박을 하게 되면, 도내 유일한 특급 호텔인 허니문하우스에서 묵곤 했다. 호텔 측은 대통령이 오는 날에는 일반 손님을 받지 않았다. 전체 객실이 16개밖에 되지 않는 이 호텔을 대통령과 수행단이 전세를 내고 입구에서부터 경호원들이 오가는 방문객들을 일일이 체크했다.

평소에는 자전거로 배달을 했지만, 대통령이 방문하는 날에는 이것저것 배달 물량도 많고 품목도 다양해서 아버지는 리어카에 물건을 실어서 날랐다. 각종 육류와 생선,

양념과 부식과 채소를 실은 리어카를 끌고서 아버지는 가파른 언덕길을 오르고 내리고를 반복했다. 난 그런 아버지의 뒤를 쫄래쫄래 뒤따라갔다. 손수레를 밀어드리려는 효심에서 그런 건 아니었다. 허니문하우스에 들어가볼 수 있는 절호의 기회였기 때문이다.

정문에서 귀에 무언가를 꽂은 경호원들은 심지어 배달하는 아버지조차 꼼꼼히 뜯어보고 검색했지만 초등학생 꼬마 여자아이는 무사통과시켰다. 아버지가 밀가루 푸대와 식용유 통 따위를 어깨에 둘러메고 낑낑거리면서 주방 안으로 나르는 동안, 나는 하얀 옷을 위아래로 차려입고 흰 고깔모자를 뒤집어쓴 주방장 아저씨와 식당 안을 둘러보았다. 아, 그곳은 우리가 막 떠나온 지저분하고 소란스러운 시장통과는 다른 별세계였다. 하얀 테이블보를 씌운 대형 식탁에는 화려한 꽃다발 장식이 군데군데 놓여 있었다.

어느 날 주방장 아저씨가 배달을 마친 아버지와 내게 특별히 식사를 하고 가라고 권유했다. 대통령 일행은 저녁에 오시니 아직은 시간이 있다면서. 작은 요강단지 같은 그릇에 담긴 멀건 죽(나중에 생각해보니 스프였다)이 나오더니, 크고 넓은 접시에 한라산처럼 봉긋하게 솟아오른 음식을 담아 왔다. 한입 맛보니 입안에서 사르르 녹아내렸다. 아저씨는 내 표정을 보면서 "어때 맛있지? 그게 함박스텍이라는 거야" 자랑스럽게 설명을 해주었다. 소고기로 만들었단다.

소고기가 이렇게 아이스크림처럼 부드러울 수도 있구나, 참으로 신기했다. 내가 그때까지 맛본 소고기는 소고기 미역국이든 명절 때 꼬치에 꿰어서 연탄불에 굽는 소고기 산적이든 죄다 질기디질긴 기억밖에는 없었기에.

그렇듯 특별한 기억을 안겨주었던 허니문하우스를 대학 시절에도 종종 드나들었다. 방학 때마다 친구들 사이에서는 허니문하우스 커피숍에서 바다를 바라다보며 커피 한 잔을 즐기는 게 최고의 사치이자 버킷 리스트였다. 서귀포 최고의 핫플레이스였다고나 할까. 커피 맛도 좋았지만 그곳의 특별한 바다 전망이 더 큰 몫을 했던 것 같다. 그곳 정원에서 오래된 해송 가지 사이로 보이는 섶섬, 문섬, 새섬, 검은여, 소정방, 정방폭포, 주상절리의 풍광은 서귀포에서도 단연 최고의 뷰로 꼽혔다.


산티아고 800킬로미터 여정을 다 마치고 나니 바다가 사무치게 그리웠다. 버스를 타고 대서양 연안의 땅끝마을 서귀포의 바다는 아주 오래된 어떤 마을들이 모여 살고 있는 것 같다.
깔깔깔 웃는 소리, 왁자지껄 떠드는 소리, 밥 짓는 소리, 불이 켜진 방안에
식구들이 모여 나누는 그리운 소리가 서귀포 바다에서 들린다.

길이 이어지고 공간이 열리면 사람도 이어지고 추억도 소환된다.

피니스테레를 찾았다. 그 마을을 둘러보던 중 유럽 일대에서 트레일러 운전수를 한다는 그 마을 출신 남자가 가이드를 자청하고 나섰다. 그는 나를 외진 바닷가로 데리고 가서 대서양 물결이 넘실거리는 절벽 위에 세우더니 자신감 넘치는 표정으로 외쳤다. "잇츠 피니스테레!" 내가 그 순간 떠올린 건 바로 허니문하우스였다. 그 정원 끄트머리 절벽에 서서 왼쪽으로는 검은여와 섶섬, 오른쪽으로는 서귀포항이 파노라마처럼 펼쳐진 정경을 가리키면서 그에게 "잇츠 서귀포!"를 외치고 싶었다.

40대의 고달픈 직장생활 중에 제주를 찾은 나는 젊은 날 추억이 깃든 허니문하우스에 가보았다. 단층짜리 허니문하우스 호텔은 흔적도 없어지고 그 자리에는 다른 건물이 들어서 있었다. 이름도 '파라다이스호텔'로 바뀌어 있었다. 내가 이제껏 본 제주도의 모든 숙박업소 중에서 주변 경관과 가장 조화롭게 어우러진 아름다운 호텔이었다. 되도록 바닷가나 오름을 개발하지 말자는 게 내 평소 주장이었다. 하지만 이 정도 건축이라면 용서할 수 있다는 생각이 들 만큼 아름다운 호텔이었다. 지중해 어디쯤 와 있는 듯한 착각이 들 만큼 붉은 지붕과 하얀색 외관의 건물은 풍경 속에 숨바꼭질하듯 언뜻언뜻 감질나게 보일 뿐이었다. 위풍당당 촌스럽게 지어 주변 경관을 해치거나 송두리째 망치는 여느 건물들과는 사뭇 달랐다.

하지만 몇 해 뒤 올레길을 내기 위해 다시 서귀포로 돌아와 보니 호텔 문은 굳게 닫혀 있었다. 들어 보니 선대 회장이 세상을 떠난 뒤 아들이 호텔을 매각하고 말았단다. 호텔을 인수한 측은 바로 옆 KAL호텔의 대주주인 한진그룹이었다. 그러나 그룹 측은 호텔만 사들여놓고선 그냥 방치해두었다. 대주주 가족간의 분쟁이 있다는 설도 있고, 수익성 높은 고층 호텔을 짓기 위해 투자자를 물색하고 있다는 설도 있었다. 호텔 입구에는 쇠줄이 처져 있었고, 입구를 지키는 경비 인력이 외부인의 출입을 아예 막아섰다.

그렇게 여러 해가 흘러 지나갔다. 올레 6코스 후반부에 이르러 유령의 성처럼 방치된 그 호텔을 지나칠 때마다 추억까지 빼앗긴 것 같아서 마음이 아려오곤 했다.

헌데 마법 같은 일이 생겼다. 2018년 여름 해마다 열리는 올레축제를 서너 달 앞두고 호텔 관계자에게서 연락이 왔다. 축제 때 호텔 정원을 지날 수 있도록 임시 개방을 할 것이며, 내년 봄부터는 커피숍만이라도 우선 오픈하고 그때부터는 길을 상시 개방하겠다는 것이었다. 한동안 출입을 막는 바람에 올레꾼들과 서귀포 시민들의 원성을 샀던 KAL호텔 또한 다시 개방하겠다는 말도 덧붙였다.

우리가 마다할 이유는 전혀 없었다. KAL호텔 아래쪽 바닷가와 파라다이스호텔 사이를 연결하는 길을 찾아내서 두 군데에 나무 계단을 설치하고 물이 흐르는 곳에는 징검다리를 놓았다. 해풍을 맞으면서 절경의 서귀포 바닷가를 가장 가까이에서 보고 느낄 수 있는 최고의 구간이 열리게 된 것이다.

축제 날 올레꾼들이 줄지어 이곳을 지나가자 임시 개장한 허니문하우스 커피숍에서는 올레꾼들에게 무료로 커피를 제공했다. 이 호텔 정원이 품은 기막힌 바다 뷰를 처음 마주친 올레꾼들은 국적 불문하고 환호성과 감탄사를 연거푸 쏟아냈다. 난 그곳 커피숍에 앉아 돌아가신 아버지를 떠올렸다. 주방의 낮은 천장에 머리가 닿을세라 몸을 최대한 낮추면서 밀가루 푸대와 식용유 통을 나르던 키 큰 이북 남자의 뒷모습이 기억의 지층을 뚫고 불쑥 튀어올랐다. 아버지 보고 계시나요, 제 모습을.

그렇다. 그렇게 허니문하우스도, 아버지도, 우리의 젊은 날도 우리에게 되돌아왔다. 길이 다시 이어지고, 공간이 열리면 사람도 이어지고 추억도 소환된다. 모름지기 길이 열려야 하고, 공유되어야 하는 이유가 여기에 있다.

## 섬 속에서 또 다른 섬이었던 남자

이제야 무너져내리는 마음으로 그 남자가 느꼈을 그 시린 외로움을, 그 막막한 고립감을, 그 깊은 심연을 들여다본다. 그러나 어린 시절 그는 내게는 참으로 이해 불가한 사람이었다. 바로 우리 아버지라는 남자, 이북에서 내려왔다는 서송남 씨.

그는 당시 기준으로는 제법 키가 컸다. 175센티미터이니 지금으로 치면 꽤나 장신이었다. 체격은 뚱뚱하지도 홀쭉하지도 않았다. 다부진 근육질의 체격이었다. 말수도 적어서 낮 동안에는 그의 목소리를 거의 들을 수 없었다. 아무 말 없이, 살짝 찌푸리거나 무표정한 얼굴로, 어머니가 지시하는 대로 움직였다. 어머니가 써주는 물품 세목과 개수에 맞춰 창고에서 물건을 챙겨 손수레나 자전거(나중에 세월이 흐르면서 오토바이로 바뀌었지만)에 실어, 주문이 들어온 호텔이나 여관이나 요정으로 물건을 배달하는 것이 주된 일과였다. 그 일을 수행하는 동안 그는 거의 감정을 드러내는 법이 없었다.

배달 일이 끝나고 가게 문을 닫고 나면 아버지는 소리없이 사라졌다. 심지어는 가게 문을 닫기도 전에, 배달 자전거나 손수레를 단골 거래처 근처에 두고 사라지는 일도 비일비재했다. 시간이 흐르면서 아버지를 닮아 체격도 크고 성실한 막냇동생 동성이가 아버지가 버리고 간 자전거나 손수레를 끌고 와서 대신 가게 문을 닫는 날이 점점 많아졌다.

그가 종적을 감추고 사라져 찾아가는 곳은 주로 단골 술집이었다. 가장 많이 갔던 단골집은 하필이면 우리 학교 친구 선자의 어머니가 하던 동네 선술집이었다. 이북 출신인 여주인은 돼지비계가 두어 점 들어간 녹두빈대떡과 생두부를 주로 내놓았다. 아버지는 이 집에서 '함경도 아바

최남단 서귀포에 살면서 최북단 함경도의 추위를 그리워했던 남자,
서귀포의 습하고 더운 날씨를 몸서리치게 싫어했던 남자,
그는 변방의 섬 '제주'에서 또 다른 '섬'이었는지 모른다.

이'들과 어울려 소주를 마시면서 이북 사투리로 대화를 나누는 게 유일한 낙이었다. 어머니는 아버지가 실종되었다 싶으면 이 집으로 나를 보내곤 했다. 어머니의 다그침에 못 이겨 그곳에 가보면 늘 그렇듯이 똑같은 아저씨들이 똑같은 말투로 똑같은 안주를 놓고 술을 마시고 있었다.

그러나 이 선술집은 아버지의 첫 순례지일 뿐, 일단 술집 순례를 시작하면 아버지는 1차로 끝내는 법이 거의 없었다. 어머니의 푸념에 따르면 '부둣가에서 시작해 1호광장까지 가야 끝이 난다'고 할 정도로 그는 길에서 마주치는 술꾼들이 옷소매를 이끄는 대로 도중에 있는 술집을 다 들르고서야 비틀거리면서 집으로 돌아오곤 했다.

낮과는 딴판으로 어머니에게 다정하게 웃기도 하고, 잠든 우리 남매들을 깨워 어머니 말 잘 듣고 공부 잘하라고 혀 꼬부라진 소리로 충고하기도 했다. 그런 아버지의 마지막 레퍼토리는 "통일만 돼보라우. 내레 지프차에 니네들 태우고 무산까지 가고야 말 테니까. 두고 보라우!"

고향 이야기도 단골 레퍼토리였다. 겨울에 춥다고 우리들이 징징거리면 아버지는 득의만면한 미소를 띠고 고향 무산의 겨울을 자랑스럽게 늘어놓았다. 그곳 겨울이 얼마나 추운지 니들이 알기나 하냐고, 여기 추위는 명함도 못 내민다고. 그곳에서는 후 입김을 불면 금세 공중에서 고드름이 되고 만다고. 그뿐인가. 마을 끝자락에 있는 강은 겨울이면 완전히 꽁꽁 얼어서 썰매 타기에는 그만인데, 썰매를 지치면서 조금만 가면 국경 쪽이어서 중국으로 건너갔다 오곤 했다고. 그럴 때마다 난 속으로 '울 아버지 허풍도 심하네'라고 생각했다.

아버지의 딸사랑은 주위에서 소문이 자자할 정도였다. 중학교에 들어갈 때까지 손톱 발톱을 늘상 아버지가 깎아주셨는데, 발톱 하나가 선천적으로 없는 채로 태어난 내게 발톱이 9개라서 참 깎기 좋다고 할 정도였다. 허벅지에 있는 푸른 점을 놓고서는, 전쟁이 터져 잃어버려도 쉽게 찾을 수 있다고 좋아라 했다. 어린 맘에도 아버지를 지배하는 기억이 대부분 전쟁의 기억임을 짐작할 수 있을 정도였다.

가끔은 형사 아저씨들이 우리 집을 찾아오곤 했다. 그들은 아버지를 '반공청년'*이라고 불렀다. 아이를 넷이나 둔 우리 아버지를 두고 청년이라니. 반공은 아버지가 이북 출

---

* 대한반공청년단 : 1953년 6월 그리고 1954년 1월 두 차례에 걸쳐 석방된 인민군 출신 반공 포로들은 멸공통일 노선에 입각해서 모든 반공운동에 매진하는 것을 목표로 대한반공청년단을 조직했다.

신이고, 공산당이 싫어서 피난왔으니 그렇다 치고 청년은 도저히 이해하기 힘든 명칭이었다.

청년이 아닌 아버지가 '반공청년'으로 불리고 철마다 형사의 방문이 이어지던 이유를 나는 대학에 진학한 뒤에야 알게 되었다. 사실은 아버지가 1·4 후퇴 때나 그 전후에 남하한 피난민 출신이 아니라는 것을. 인민군으로 남한에 내려와서 전투 중에 붙잡혀 거제도 포로수용소에서 생활하다 정전 후에 남쪽을 택한 포로 출신이라는 것을.

최남단 서귀포에 살면서 최북단 무산의 추위를 그리워했던 남자, 서귀포의 습하고 더운 날씨를 몸서리치게 싫어했던 남자, 반공청년임을 내세웠지만 늘상 반공청년임을 의심받았던 남자, 제주에 50년 넘게 살며 어머니의 온갖 구박을 받으면서도 함경도 아바이 억양을 고집했던 남자. 술을 마셔야만 비로소 말문을 열었던 그 남자의 외로움을 누가 짐작이나 할 수 있으랴. 그는 변방의 섬 '제주'에서 또 다른 '섬'이었는지 모른다.

습기,
피할 수 없으면 즐겨라

어릴 적 선생님이 말씀하셨다. 서귀포읍은 인도의 아셈 지방 다음으로 강수량이 많은 곳이라고. 무슨 근거로 그런 이야기를 하셨는지 모르지만, 우리는 고개를 끄덕였다. 비가 워낙 자주, 많이 쏟아지는 서귀포였기에! 외지인들은 제주를 단일 기후권으로 착각하기 일쑤지만, 제주도 안에서도 동서남북 지역의 기후나 바람, 햇빛은 저마다 달랐다. 서귀포는 햇빛 찬란한 남쪽인 동시에 비가 가장 많이 내렸다.

강수량이 많다 보니 자연히 습도가 높을 수밖에 없다. 비올 때는 물론이거니와 비가 뿌리기 전부터 습기를 잔뜩 머금은 공기가 온 마을을 떠돌아다녔다. 습기는 집안 구석구석을 민첩하고도 날렵한 용병처럼 파고들었다. 벽지는 해마다 새로 발라도 장마철만 지나면 절반 이상 눅눅한 채 얼룩덜룩해지곤 했다. 장롱 속의 옷들은 물기를 잔뜩 머금은 채 축축해지고, 방바닥은 발을 내디딜 때마다 쩍쩍 달라붙었다.

온천지가 곰팡이 투성이였다. 습기는 시간이 흐를수록 냄새로 이어졌다. 어디서나 퀴퀴한 냄새가 코끝을 감돌았다. 칸영화제에서 황금종려상을 받은 봉준호 감독의 〈기생충〉을 관람하면서 저절로 고개가 끄덕여진 대목은 냄새였다. 주인집 남자는 반지하에 사는 이들에게는 뭔가 냄새가 난다고, 그것이 그들을 구별짓게 만든다고 말한다.

하지만 내 어린 시절, 어디든 나타나는 곰팡이와 곰팡이가 풍겨내는 퀴퀴한 냄새는 계층을 불문하는 것이었다. 서귀포 사람이라면 피할 수 없는 게 습기요 곰팡이였다. 우리 아버지처럼 더위와 습기에 진저리치는 육지 사람이 아니더라도, 제주 토박이들도 장마철을 앞두면 습기에 대한

두려움에 사로잡히곤 했다. 동네 아주머니들은 예전 같으면 반나절이면 마를 빨래가 하루 이틀을 놔둬도 마르기는커녕 외려 더 눅눅해진다고 투덜거렸다. 한여름 습기는, 서귀포 사람들에게는 호환마마보다도 무서운 존재였다.

고향에 돌아온 뒤부터 나는 한동안 까맣게 잊고 지냈던 그 존재, 습기와 다시 대면하게 되었다. 옷장 안에 있는 옷들이 죄다 척척해지고, 벽지는 누군가가 낙서를 한 듯 제멋대로 구겨져 있었다. 서울에서 내려와 함께 살던 후배는 어느 날 외출을 하려고 옷장의 흰 원피스를 꺼내다가 '꺄아악' 소리를 질러댔다. 어디서 강도라도 튀어나왔나 싶을 만큼 요란한 비명 소리였다. 사서 두어 번밖에 안 입은 그녀의 흰 원피스를 점령한 건 군데군데 자리잡은 곰팡이 군단이었다.

《시사인》 사진기자로 일하다가 자식처럼 여기는 두 강아지에게 견생다운 삶을 누릴 수 있게 해주려고 서귀포로 이주해서 카페 주인이 된 후배 향란이. 그녀는 습기에 관한 화제가 나오면 1박 2일은 끄떡없이 이야기를 할 만큼, 공포스러운 기억을 많이 가진 이주민이다. 성격이 당차고

쿨한 그녀는 회사에 다닐 때에도, 성질이 지랄 맞기로 소
문난 편집장인 내게도 제 할 말을 다하는 친구였다. 그런
그녀가 가장 두려워하고, 벌벌 떠는 존재가 다름 아닌 곰
팡이요 습기였다.

두려움은 지혜를 부르는 법이다. 그녀는 습기를 되도록
줄이고 곰팡이를 발본색원하기 위한 온갖 노하우를 개발
해내서, 주위 사람들에게 자신이 터득한 꿀팁을 제공하곤
했다. 과수원이 딸린 오래된 집을 사서 리모델링을 할 때
도 그녀가 가장 공들이고 돈을 투자한 것도 습기를 원천
차단하는 건축 공법과 제습 장비였다.

10여 년 전부터 제주에 이주 열풍이 불어닥쳤는데, 이주
자들 일부는 몇 년이 지나지 않아 다시 그들이 온 육지로
되돌아갔다. 살던 대도시를 떠나서 제주에 이주해 온 이유
도 사람마다 제각각이듯이, 애써 이주한 제주를 또다시 떠
나는 이유도 사람마다 제각각이었다. 도시의 문화생활에
대한 향수 때문에, 지긋지긋했던 그 바쁨이 오히려 못 견
디게 그리워서, 뭔가 고립되고 단절된 느낌을 견디기 힘들
어서, 자연도 오래 보니 싫증이 나서, 마땅히 먹고살 만한
직장을 구하기 힘들어서, 사람에게 배신을 당해서 등.

특히 서귀포 지역에서는 뜻밖에도 습기 때문에 못 견디고 떠난다는 이주민을 여럿 만났다. 향란이처럼 습기와 적극적으로 싸우면서 퇴치할 방법을 찾는 대신, 습기 때문에 끝내 퇴각을 결심한 그들이었다. 습기를 원천 차단하는 기술력을 갖춘 신축 아파트가 아닌 시골집에 둥지를 틀었던 낭만파들이 대부분이었다. '지나친 과식은 몸에 해롭습니다'라는 건강 광고 문구처럼 '지나친 낭만은 몸에 해롭습니다'라고 이주자들에게 귀띔해주고 싶을 정도였다.

습기는 게스트하우스 주인들에게는 '공공의 적'이다. 아무리 깨끗이 침구류를 세탁해놓아도, 손님들은 눅눅한 이불에 불만을 토로하면서 불평하기 일쑤고, 심지어는 이런 데서는 잘 수 없다고 다른 곳으로 가야겠다고 숙박비 반환을 요구하는 경우도 종종 있다. 주인들로서는 미치고 팔짝 뛸 일이다.

토박이 출신이어서일까. 나는 이주민들과는 달리 서귀포의 습기가 그닥 힘들게 느껴지지 않는다. 오히려 습기가 슬슬 느껴지기 시작하면, 아 이제 본격적인 여름철이 시작되는구나, 마음이 설레기까지 한다. 추위를 워낙 싫어하고 여름을 좋아하는지라, 그 전조인 습한 기운까지 반기게 되는 것이다.

　대부분의 올레꾼들은 여름철 올레 걷기를 두려워하고 힘들어한다. 제주 토박이들도 마찬가지다. 하지만 나는 여름 걷기에는 독특한 즐거움, 특별한 매력이 있다고 여긴다. 와랑와랑한 햇살 아래서 서귀포 올레길을 걷다 보면 끈끈이 주걱에 파리가 달라붙듯 습한 기운이 철썩철썩 달라붙는다. 시간이 흐를수록 그 끈끈함은 더해가고 마침내 온몸에 땀이 비오듯 줄줄 쏟아져 내리기 시작한다.

　그럴 즈음 반드시 시원한 바닷가를 지나게 된다. 바다가 아예 없는 일부 중산간 코스를 제외하면 두세 시간 안에 해안가가 나타나기 마련이다. 바다가 보이자마자 입은 옷 그대로 물 속에 텀벙 들어간다. 아, 그때의 시원함을 어찌 다 형용할 수 있으랴. 에베레스트 꼭대기에 올라 눈 덮인 발아래 연봉을 보는 순간 그동안 거쳐온 온갖 힘든 시간을 다 잊어버리고, 힘들었던 만큼이나 희열을 맛보듯이, 끈끈한 습기를 견딘 그만큼 시원함이 밀려든다.

　습기를 최대한 빨아들인 후에 바닷물에 풍덩 빠지는 것, 그것이야말로 서귀포의 여름을 최대한 즐기는 방식이다. 그러라고 존재하는 바당 아닌가.

이토록 근사한 정원이

다 내 것이라니요

　도시에서 살다가 30년 만에 길을 내러 제주도로 돌아
온 나는 당분간 친정언니의 집에 기식하면서 거처를 찾기
로 했다. 형부를 병으로 떠나보낸 언니는 비어 있는 방 한
칸을 선선히 내주었다. 적적한 혼자살이에 친구가 생긴 걸
반기면서도, 길을 낸다는 도무지 납득이 가지 않는 이유로
동생이 고향에 돌아온 것에 대해서는 영 마뜩치 않아했다.
시장통에서 목욕탕에서 만난 동네 사람들이 "맹숙이는 무
사 내려완?" 물을 때마다 언니는 스트레스를 받았고, 그런

날이면 "대체 언제 정신 차리고 서울 올라갈 거니?" 하며 눈을 흘겼다.

그런 잔소리를 견디기 힘들어서 본격적으로 집을 구했다. 중문 대포동에 있는 풍림빌리지를 누군가가 소개했다. 너른 정원에 잘 가꾼 수목이 어우러진 바다가 보이는 빌라, 그것도 다락방이 있는 복층이었다. 당시에는 제주 부동산 가격이 미쳐 날뛰기 전이라서 전세 가격은 서울에 비하면 입이 떡 벌어질 만큼 쌌다. 냉큼 계약을 하고 언니로부터 독립했고, 내 뒤를 이어 제주로 내려온 여자 후배들과 '대포동 시대'를 구가했다.

그런데 어느 때부터인가 난 추위 타령, 바람 타령을 입에 달고 살기 시작했다. 중문이 너무 춥다고, 따뜻한 서귀포로 가서 살아야겠다고. 서울에서 내려온 후배들은 어처구니없어했다. 제주라면 단일 지역, 동일 생활권이라고 여기는 그네들이었다. 차로 20여 분밖에 안 걸리는 대포동과 서귀포 간에 바람이나 햇빛, 기온이 대체 얼마나 차이가 나느냐고 웃어넘겼다.

하지만 추위를 유난히 못 견디는 내게는 중문과 서귀포의 차이는 하늘과 땅의 차이였다. 바람의 세기는 외돌개만 벗어나면 세지고, 햇빛의 강도는 외돌개 안으로만 들어오면 더 강해졌다.

같은 프랑스에서도 춥고 으스스한 파리에 사는 사람들이 따뜻하고 햇살 좋은 남쪽 지방 프로방스를 동경하고 찾듯이, 나 역시 같은 제주 안에서 중문을 떠나 따뜻한 서귀포로 돌아가고 싶어 몸살을 앓았다.

2년 만에 결국 서귀포로 돌아왔다. 서복공원 근처 오래된 아파트를 토박이 친구에게 소개받았다. 지은 지 30년도 더 된, 낡은 아파트였다. 옛 제주 전통 가옥처럼 물부엌까지 있는 독특한 구조가 맘에 들어서 서슴없이 계약을 했다. 헌데 이사를 한 뒤에야 뜻밖의 로또에 당첨되었음을 알게 되었다.

어느 정도 이삿짐이 자리를 잡게 되자, 나는 집밖으로 어슬렁 산책을 나갔다. 집에서 몇 발자국 걸어내려가자 구중궁궐을 연상케 하는 높디높은 돌담으로 둘러진, 안은 아예 보이지도 않는 공간이 나타났다. 이건 뭐하는 곳이지? 관공서? 배수펌프장이나 종말처리장? 높다란 담장과 울창한 수목으로 가려진 그곳을 제멋대로 이런저런 상상을 하면서 지나갔다.

나중에서야 그곳이 우리나라 최고의 재벌 중 한 명인 현대그룹 고故 정주영 회장의 별장이었음을 알게 되었다. 그는 제주에서도 서귀포를, 서귀포에서도 이 주변을 좋아해서 이곳에 별장을 짓고 자주 찾았더란다.

나는 그 이야기를 듣고 고 정주영 회장을 떠올렸다.《시사저널》정치부 기자 시절, 그가 새로 국민당을 창당해서 단번에 교섭단체 구성요건을 충족하는 의석 수를 확보하는 돌풍을 일으키고 그 여세를 몰아 대통령 후보로 뛸 무렵, 국민당을 잠시 출입했더랬다. 대통령 선거에 실패하고 정치에서 손을 떼겠다고 선언하는 날에도 나는 그의 기자회견 자리인 울산 현대호텔에 있었다. 경제인으로서 전설적 존재였던 그가 정치인으로서 그 짧은 시간에 영욕의 롤러코스터를 타는 걸 목격한 것이다. 소 판 돈을 갖고 고향에서 가출해 한 나라를 대표하는 큰 기업을 일으키고 마침내는 대권까지 도전했던, 수많은 소떼를 몰고서 판문점을 넘어 고향땅까지 가서 그 소떼를 기부하고 돌아온, 라만차의 돈키호테 같았던 그가 때때로 지친 심신을 부려놓고 쉬던 별장이 내 낡은 아파트의 이웃이라니.

별장에서 몇 걸음 더 걸어가니 제법 마당이 큰 절집 정방사가, 이어서 물이 졸졸 흐르고 수목이 울창한 공간이 나타났다.

서귀포 시내 동문로터리가 지척인데도, 공원은 마치 원시림 같았다. 아름드리 벚나무가 줄지어서 물가에 나뭇가지를 드리우고 있었고, 물가에는 책 읽기 안성맞춤인 벤치도 여럿 놓여 있었다. 공원 입구 표지판에 적힌 글을 읽어 내려갔다. 아, 이곳은 정방폭포의 발원지였다. 서귀포에서 나고 자라면서도, 정방폭포를 숱하게 드나들었으면서도, 정작 그 발원지에는 처음 발을 들여놓은 것이다.

그날부터 나의 정모시 사랑은 시작되었다. 아침저녁 한 번쯤은 꼭 이곳으로 산책을 나갔다. 사시사철 시청에서 파견나온 일꾼들이 정원을 가꾸는 모습이 눈에 띄곤 했다. 그들은 잡초를 뽑고, 나뭇가지를 전지하고, 꽃 모종을 심었다. 하지만 그 공원을 산책하는 사람은 거의 언제나 나 혼자였다. 나는 그 호젓한 공간을 천천히 한 바퀴 걷고 난 뒤에 벤치에 앉아서 갖고 간 신문이나 잡지를 오래오래 읽다가 돌아오곤 했다. 호로호로 호로롱, 영롱하고 투명한 음색의 동박새가 이 나무 저 나무 사이를 날아다니며 부르는 노래를 들으면서.

평소에는 적막하리만큼 고요한 정원에 불볕더위가 시작되고 나면 사람들 발길이 이어지곤 했다. 시원한 용천수에서 멱을 감으려는 이 근처 아이들과 정자에 앉아 바람을 쐬면서 피서를 즐기는 동네 사람들이 모여들었다. 아이들의 까르르 웃음소리와 어른들의 시끌벅적한 웃음소리가 어우러져 비로소 공원은 활기를 띠었다. 하지만 여름이 물러가고 선선한 바람이 불기 시작하면 공원은 다시 내 차지가 되곤 했다.

입이 근질거린 나머지 나는 새로 생긴 개인 정원에 대해 여기저기 말을 하고 다녔다. 내 정원은 300평쯤 된다, 물이 흐르고 오래된 벚나무와 온갖 기화요초가 있다, 몇 명의 정원사가 날마다 가꾸느라 수고를 많이 하신다, 정자도 여럿이고 벤치도 여럿이어서 그때그때 맘 내키는 곳에 앉아서 독서와 음악을 즐긴다….

어느 날, 친분 있는 서귀포시 공무원이 잔뜩 흥분한 목소리로 전화를 걸어왔다. "오늘 시청에서 너무 어처구니없는 이야기가 돌아다니기에 제가 반박은 했는데요. 다시는 개인 정원 어쩌구 하는 이야기는 제발 하지 마세요. 그걸 진짜로 믿는 인간들도 있더라니까요."

알고 보니 코미디도 그런 코미디가 없었다. 내가 정모시 공원을 두고 한 말이 한두 사람 건너다 보니 조금씩 말이 덧붙여진 모양이었다. 맨 나중 버전은 서명숙 이사장이 정주영 회장 별장 근처에 300평짜리 근사한 정원이 딸린 집에 산다는 것. 하기야 그 헛소문의 뼈대는 다 내가 제공한 것이니 누굴 탓할 일도 아니었다.

문제는 그 소문을 접한 한 언론사 기자가 시청 공무원들에게 서 이사장 집이 어디냐고 묻고 다닌다는 것이었다. 비영리 사단법인을 이끄는 제주올레 이사장이 그처럼 큰 정원이 딸린 집에서 산다니 무언가 치부했을 거라는 문제의식을 갖고서. 난 근심스러운 어조로 그 이야기를 전달하는 공무원에게 웃으면서 말했다. "그 기자분에게 열심히 찾아보라고 하세요. 찾아내면 내게도 꼭 알려달라고 전해주시고."

오늘도 난 정모시공원으로 아침 산책을 다녀왔다. 내게 이 공원을 소개받은 육지에서 내려온 지인은 이곳만큼은 책에도 쓰지 말고 다른 사람들에게도 알리지 말고 '시크릿 가든'으로 남겨두라고 조언했다. 난 단박에 이 제안을 물리치면서 이곳이 여름철 외에도 사람들이 찾는 진정한 사철 공원이 되기를 바란다고 말했다. 공원은 무릇 시민들이 함께 누려야 하는 공공 자산이기에. 모든 자연의 아름다움은 함께 누리고 지켜야 할 자산이기에.

# 너무 아름다워서 더 슬픈

정모시공원을 끼고 돌아서 좁다란 돌계단을 올라가면 서복불로초공원이다. 공원 크기는 개인 정원처럼 작고 아담하지만 중앙에 있는 정자는 사극에 등장하는 임금님이 가끔 들르는 정자처럼 제법 웅장한 자태다. 정자 근처에는 연못이 있고, 그 연못에는 여름 수련도 가득이다. 이른 아침에는 활짝 피어서 날 반기지만, 오후만 되면 언제 그랬냐는 듯 새침하게 입을 앙다물고 만다. 아침 산책을 놓친 나를 혼내기라도 하듯. 마치 여왕이라도 된 기분으로 아치

형 현관을 나서서 조금만 걸어가면 이내 서복공원으로 이어진다.

진시황의 사신이라는 서복. 전해오는 기록에 따르면 그는 2,200여 년 전 먼 남방 영주산에 있다는 불로초를 구해오라는 진시황의 명령을 받고 동남동녀 각 500명(일설에는 3,000명)을 거느리고 호화 선단을 이끌고 항해를 시작했더란다. 그는 불로초를 찾아 헤매다 서귀포까지 흘러들었지만 정방폭포 물이 떨어지는 절벽 중간에 '서불과지(서복이 왔다가 돌아간다)'라는 글씨를 남기고 또 다른 곳으로 떠났단다.

나는 서귀포가 그의 모험의 끝인 줄만 알고 있었다. 헌데 8년 전부터 일본 규슈올레길을 개척하고 걷는 동안에 몇몇 지역에서 서복은 다시금 자기 존재를 드러냈다. 그곳 사람들은 매우 자부심 어린 얼굴로 자기 고장이야말로 진시황의 사신 서복이 불로초를 찾으러 왔던 곳이라고 장황하게 설명했다. 심지어 어느 한 지방에서는 서복이 오디세이 같은 기나긴 대장정을 마친 뒤 자기 마을에 뼈를 묻었다고 주장하기도 했다. 규슈의 한 바닷가 마을에는 서복을 모시는 사당도 있었다.

그쯤 되자 나는 슬슬 서복이 의심스러워졌다. 자신이 일군 제국에서 영생불사를 누리고자 한 진시황이 불로초의 존재를 굳게 믿고서 측근인 서복에게 '지상 최대의 과제'를 맡겼던 것일까. 아니면 서복이 진시황의 지배력에서 벗어나 먼 곳으로 도피할 수 있는 명분으로 불로초를 찾으러 가겠다고 둘러댄 것일까. 나는 서복공원을 거닐 때마다 진지한 학자들은 절대로 용납하지 않을, 황당하기 그지없는 상상의 나래를 펴곤 한다.

흐릿한 전설과 너무나도 짧은 역사 기록에 기댄 서복 전시관의 내용물은 부실하지만 정원은 마치 황제의 정원처럼 잘 가꾸어져 있다. 철마다 다른 꽃들이 피어나고, 연못에는 흰색 분홍 보랏빛 수련이 함초롬히 고개를 내민다. 게다가 정원 끄트머리에 서면, 서귀포 바닷가의 아름다움을 한눈에 완상할 수 있다. 저 멀리 왼쪽으로는 섶섬과 제지기오름, 허니문하우스, 소정방, 주상절리 절벽이 늘어서 있고, 정면으로는 오랜 세월 풍상을 견뎌온 아름드리 소나무가 바다를 향해 기도하듯이 가지를 드리우고, 오른쪽으로는 소남머리와 자구리 해안 그리고 서귀포항과 새섬이 도열해 있다. 대륙을 호령했던 진시황이 다시 살아 이곳에 온다 해도 감탄할 만한 풍경이다.

하지만 이곳은 불로장생의 키워드로만 기억되거나 찬미될 공간만은 아니다. 지금은 서복이라는 존재로 상징되고 불로초라는 키워드로 다시 태어났지만, 사실 이 주변은 서귀포 토박이들에게는 씻지 못할 역사의 상처, 잊지 못할 잔혹사를 일깨워주는 공간이기도 하다. 제주도의 아름다운 바닷가나 오름의 절경 구간이 그렇듯이 이곳 역시 4·3의 피비린내가 진동했던 역사의 현장이다.

그 현장은 비현실적일 만큼 몽환적인 풍경이 펼쳐지는 수련 연못 근처, 가끔은 소규모 공연이 열리기도 하는 야외무대 근처 절벽이다. 바로 그 절벽에서 70년 세월이 흐른 뒤에도 잊히지 않는 그 일이 일어났던 것이다. 다음은 2019년 6월 24일자 〈서귀포신문〉의 한 대목이다.

1948년에 제주 4·3이 발생하고 그해 8월 15일에 대한민국 정부가 수립되었다. 정부는 그해 11월 17일에 제주도 전역에 계엄령을 선포했다. 제주 4·3 당시 정방폭포 인근 서귀리는 서귀면사무소와 서귀포경찰서 등이 있는 산남 지역의 중심지였다. 중산간 지역 초토화 작전이 시작되면서 2연대 1대대가 서귀리에 주둔했고, 서북청년단도 이곳에 사무실을 열었다.

토벌작전이 시작되자 군경 당국은 남원읍과 효돈동, 안덕면, 대정면 등지에서 무고한 주민들을 붙잡아 서귀리에 있던 감자 전분공장, 단추공장 등에 집단 수용했다. 그리고 붙잡힌 주민들은 1949년 1월까지 정방폭포 주변에서 처형했는데 확인된 피해자만 248명에 달한다.

신문에 언급됐듯이 250명 가까운 주민들이 서복공원 야외공연장 근처 소남머리 절벽에서 총살을 당해 그 푸르른 바다로 떨어져서 다시는 가족들 품으로 돌아오지 못했다. 가족들은 빨갱이라는 낙인이 두려운 나머지 시신을 수습할 엄두도 낼 수가 없었다.

유족들의 통곡과 비통은 아직도 현재진행형이다. 피눈물이 맺힌 그 역사의 현장 일대에 2,000여 년 전 중국에서 온 사신을 기리는 공원을 조성하고 서복의 흉상을 비롯해서 갖가지 다양한 조형물과 조각상을 세우면서도, 수많은 주민들의 목숨을 앗아간 당시의 비극을 기리고 기억하는 추념비는커녕 변변한 안내표지조차 세우지 못했기에.

정방 4·3유족회(회장 오순명)가 결성되어 이곳에 위령탑을 건립하기 위해 줄기차게 애를 썼고, 이 지역 위성곤 의원도 국회에서 노력해 두 차례나 정부 예산을 교부받기도 했다. 하지만 복병은 엉뚱한 곳에 있었다. 문화재보호구역이면서 절대보전지역이자 공원지구로 지정된 이곳에 위령탑을 세우기 위해서는 서귀포시 도시과와 제주특별자치도 문화예술과, 해양수산과 등이 협의해서 절대보전지역이나 공원지구에서 일부 해제를 해야만 한단다. 게다가 중국 서복협회에서 기증한 물품 등이 문화재로 지정되어 있어서 문화재청도 설득해야 한단다.

살아서 영원한 생을 누리려는 헛된 꿈을 꾸었던 중국 진시황의 사신을 기리는 기념동상이 세워진 공원에, 자신이 태어난 땅에서 영생불사는커녕 제 명조차 살아보지 못하고 온몸에 총알이 박힌 채 고향 바닷속으로 수장된 그 푸르렀던 청춘들을 기억하는 추모비는 세울 수 없다니! 이 어처구니없는 현실을 대체 어떻게 받아들여야 하는가.

불로장생과 허망한 죽음의 이야기가 시루떡처럼 켜켜이 포개진 서복공원은 사연을 모르는 외방인들 눈에는 그저 평화롭고 고요하기만 하다. 너무 아름다워서 더 슬픈 공간이 서복공원이다.

영원히 늙지 않는 불로의 포구. 서귀포 서복공원을 걸을 때마다 느껴지는
언제나 젊은 시원始原의 파도 소리, 바람소리.

서귀포 자구리 바다에 펼쳐지는 소남머리, 정방폭포, 소정방, 주상절리 벼랑들.
진시황이 직접 왔다면 이것이 바로 불로초라 말했을 풍경들.

길을 걷다가 문득 마주치는 너무 아름다운 풍경들을
볼 때마다 나는 《이스탄불》을 쓴 작가
오르한 파묵이 "풍경의 아름다움은 그 슬픔에 있다"
라고 한 말이 떠오른다. 오름을 오르다
길가 구석자리에서 만나는 아름다운 꽃들,
둥근 능선과 어우러지는 하늘,
그러다 불쑥 펼쳐지는 아 눈이 부시도록 푸르른 바다,
그 앞에서 슬픔이 느껴지는 것은 어떤 아이러니일까.
그 슬픔을, 아니 아름다운 풍경 앞에
사라진 그들의 통곡을 나는 '찬란'이라 불러본다.

3부                    잘못된 길은 없다

한꺼번에 많은 길을 가지 마라. 작은 오름의 꼭대기를 수없이 오르듯
마음에 작은 정상을 많이 오른 자만이 진정한 정상에 도달할 수 있다.

길을 걸으며 수많은 사람을 만났다. 풀잎 같은, 들꽃 같은, 바닷물에 반짝이는 윤슬 같은, 길에서 만나 아름다웠고 길에서 만나 마음이 열렸던 그런 사람들.

지치면지고
미치면이긴다

그녀를 처음 만난 건 올레 10코스 시작점인 화순 해수
욕장에서였다. 제주 출신 여자 경찰로서는 처음으로 경정
으로 승진해서 화제가 되었던 김영옥 경정이 전화를 걸어
왔다. 자기가 올레길 안전을 담당하는 부서의 책임자인데
현장을 파악하기 위해 동료 경정 두 명과 주말마다 짬을
내서 올레 코스를 돌고 있다, 한번쯤 같이 걸어줄 수 있겠
느냐는 용건이었다. 나로서는 불감청고소원不敢請固所願 (감히
청하지는 못하나 원래부터 무척 바라던 일)이었다. 경찰에 고마움도 전

하고 올레도 설명할 수 있는 절호의 기회였다.

'올레길 여성 피살사건'이 제주 사회와 올레꾼에게 미친 충격은 가히 쓰나미급이었다. 젊은 여자 여행자들이 주를 이루던 올레길이었다. 보수적인 한국 사회에서 여자 혼자 찾을 만한 여행지도, 마땅한 프로그램도 없던 터에 올레길 열풍을 타고 많은 젊은 여성들이 제주를 찾았다. 방송작가, 교사, 광고 기획자, 연예인, 대학생 등 직업도 다양하기 이를 데 없었다. 그러던 차에 터진 이 사건은 올레 열풍에 찬물을 끼얹고, 여행을 떠나려는 여성들의 발목을 붙잡았다. 제주 경찰은 여성들이 안심하고 길을 걸을 수 있도록 목걸이형 안전경보기를 공항에서 빌려주고, 코스별로 경찰차나 자전거로 순찰을 도는 시스템을 도입했다. 일부 경찰들 사이에서는 업무가 늘어났다는 볼멘소리가 나온다는 이야기도 들려왔다.

10코스 올레 안내소 앞에 세 여자가 서 있었다. 그녀들은 제주도에서 가장 계급이 높은 여성 경정 3인방임을 누구도 눈치채지 못할 만큼 평범한 올레꾼 복장이었다. 구면인 제주 출신 김 경정이 육지에서 내려온 두 경정을 소개했다. 이쪽은 김미애, 이쪽은 박미옥, 이라면서.

그런데 박미옥 그녀를 보는 순간, 나도 모르게 움찔했다. 그녀의 눈매는 사람을 딱 얼어붙게 할 만큼 날카롭고 강렬했다. 게다가 내가 한참 우러러봐야 할 만큼 키가 컸고, 척 보기에도 근육질 몸매였다. 눈으로 맞은 뒤, 주먹으로 한 방 맞으면 어지간한 남자라도 나가떨어질 것 같았다.

압권은 목소리였다. "처음 뵙습니다. 영광입니다"라고 짧게 끊어치듯 말하는 그녀의 목소리는 낮고 굵은 중저음이었다. 그녀는 제법 긴 10코스를 걷는 동안 거의 말이 없었다. 전문 사진작가들이나 가지고 다닐 법한 묵직해 뵈는 카메라로 열심히 찍어대느라고 천천히 걷는 나보다도 한참 뒤처졌다.

범상치 않은 느낌을 주는 저 경정은 대체 누구인가, 관심을 보였다. 기다렸다는 듯 김영옥과 김미애 경정이 번갈아가면서 그녀를 설명하느라 바빴다. "드라마 〈시그널〉 보셨죠? 저 친구가 그 주인공 김혜수의 모델이에요. 그리고 영화 〈감시자들〉에 나오는 '지치면 지고 미치면 이긴다'는 유명한 대사도 바로 이 친구의 단골 레퍼토리를 갖다 쓴 거예요. 첫 여성 형사기동대, 첫 여성 광화문 교통순경, 첫 여성 강력반장, 첫 여성 강남서 강력계장, 첫 여성 마약범

죄수사팀장! 하여간 여성경찰로는 모든 분야에서 첫 테이프를 끊은 친구라니까요. 그래서 저 친구 별명이 '단군마마'잖아요. 세상을 떠들썩하게 했던 신창원 아시죠? 저 친구가 신창원 검거의 일등공신이라니까요. 얼마 전 아내가 욕실에서 죽었다고 남편인 의사가 신고했는데 정작 남편이 살인한 것으로 밝혀진 사건 있잖아요, 자칫하면 사고사로 넘어갈 뻔한 그 사건 해결한 사람도 바로 저 친구죠."

폭포처럼 그녀의 필모그래피를 쏟아내던, 김미애 경정이 뜻밖의 이야기를 들려주었다. "저 친구 완전 올레 마니아예요. 몇 년 전부터 올레길 걷기 시작해서 거의 다 완주했을걸요. 제주 근무 자원한 것도 올레가 계기가 됐나 보더라고요."

박미옥, 그녀가 더욱 궁금해졌다. 스리캅스와 헤어져 집으로 돌아오자마자 인터넷으로 그녀에 관한 자료와 기사, 블로그 등을 검색하기 시작했다. 그녀를 못 알아본 게 미안할 정도로 어마어마한 분량의 기사와 인터뷰가 쏟아졌다. 두 경정이 들려준 이야기는 빙산의 일각에 지나지 않았다. 나는 점점 박미옥 경정에게 빠져들었고, 서로 시간이 날 때마다 올레길을 함께 걸으면서 많은 이야기를 나누었다. 우리는 닮은 점이 너무나 많아서 서로 놀라워했다. 싱크로율이 거의 90퍼센트였다.

우선 출신부터 비슷했다. 그녀는 대게로 유명한 경북 영덕군 강구에서 태어나고 자랐다. 내게 자구리 바닷가가 그랬듯이 그녀에게도 강구항은 그녀의 몸과 마음을 단련시킨 베이스캠프였단다. 고등학교를 대처인 제주시로 유학을 간 나처럼 그녀 또한 대도시인 대구로 나와서 여고를 졸업했다.

평생 직업을 여중 시절에 결정한 것도, 그 직업이 극한 직업이라는 것도 똑같았다. 나는 여중 2학년 때 당시 한국일보 사장 장기영(전 경제부총리) 씨가 쓴 책을 보다가 기자가 되기로 결심했다. 어릴 적부터 책 읽기를 좋아해 동화작가나 소설가가 되고 싶었지만 작가는 굶어죽기 딱 좋은 직업이라는 어른들의 말이 맘에 걸렸다. 그런 중에 장 사장의 책에 묘사된 사회부 기자들의 활약상이 멋지게 다가왔고, 사회 정의를 실현하면서 월급도 받을 수 있으니 기자가 되어야겠다고 결심했다.

박 경정 또한 나와 똑같은 중2 때 사회에 봉사하면서 월급도 받을 수 있는 순경이 되려고 결심했더란다. 나는 그

가슴에 당신만이 걸을 수 있는 길을 만들어라. 힘들 때, 어려울 때
마음속에 자신이 만든 그 고요한 길을 혼자 걸어보는 것, 진정 길을 갈 줄 아는 자다.

녀에게 물었다. "그땐 경찰이 그렇게 극한 직업인 줄 몰랐
겠지? 기자가 극한 직업인 걸 내가 몰랐던 것처럼?" 그녀
는 말없이 고개만 끄덕였다.

경찰 세계에 발을 들여놓은 뒤 그녀가 걸어온 길은 기자
로서의 내 삶보다 더하면 더했지 덜하지 않았다. 1988년
순경 공채 시험에 합격한 그녀는 1989년 성북서 보안2계
에 초임으로 근무를 시작했다. 내가 물었다. "고려대 담당
이라서 당시 운동권 학생들 많이 상대했겠네?" 그녀가 씩
웃으며 대답했다. "무지 많이 봤지요."

1990년에는 큰 키 덕분인지 경찰 역사상 처음으로 제
복을 입고 광화문 네거리에서 교통정리를 하는 '수신호 여
경'으로 발탁되어 텔레비전 뉴스에 나오기도 했다.

당시 여경들이 그렇듯 남자 경찰 동료들의 보조적 업무
나 수행하던 그녀에게 1991년 커다란 전환점이 찾아왔
다. 서울지방경찰청 강력계에 여자형사기동대가 처음 창
설되었고, 그녀는 원년 멤버를 자원했다. 민원실장이던 여
경들의 멘토 김강자 경감이 '너라면 충분히 해낼 수 있다'
면서 그녀에게 권유한 것이다.

당시 인기를 끌던 텔레비전 프로그램 〈경찰청 사람들〉

여자형사기동대 편에 그녀의 소매치기 검거 현장이 방영되며 화젯거리가 되기도 했다. 21명으로 여자형사기동대가 출범했지만, 4년 뒤에 남은 사람은 오로지 박미옥뿐이었다. 그만큼 여성이 경찰 사회에서 버티기 힘든 구조였단다. 난 고개를 크게 끄덕였다. 1989년《시사저널》창간 때 잡지사 출신의 경력 기자로 입사해 일간지, 방송사 출신 동료들 사이에서 가까스로 살아남은 나였기에 이해가 가고도 남았다.

오랜 수사 경험과 끝없는 독서와 공부로 쌓은 내공으로 해결한 여러 사건들 중 가장 인상 깊은 건 역시 신창원 사건이란다. 그 사건은 내가 언론사에 근무하던 시절에 언론 지상을 크게 장식한 전대미문의 사건이었다. 그때 한 여경이 활약했다는 보도가 있었는데 그때 그 주인공을 이렇게 오랜 세월이 흘러 제주에서 만나게 될 줄이야.

"범인에 대해 연구하고 또 연구했지요. 신창원의 일기장을 외우다시피 하고, 동거녀 8명을 죄다 찾아다니면서 그녀들과 심층 면접을 여러 차례 했어요. 처음에는 입을 안 열다가 하도 여러 번 찾아가니까 조금씩 입을 열더라고요. 여럿의 진술 중 공통점을 찾아서 검거 매뉴얼을 만들었죠. 그의 집에는 가구는 없고 운동기구만 있다, 개를 키우는 등. 전국에 배포했더니 제보가 들어왔고, 신출귀몰한 신창원도 결국은 꼬리가 잡힌 거죠."

온 국민의 이목을 집중시킨 대형 강력사건을 잇따라 해결하면서 승승장구하던 그녀, 서울에서도 가장 사건 사고가 많다는 강남경찰서와 마포경찰서의 경력계장을 두루 거친 그녀가 올레길을 찾게 된 계기가 궁금했다.

그녀에게 계기를 제공한 이는 현재 서귀포경찰서에 같이 근무하는 여경 후배 김성순이었다. 강남경찰서에 근무할 무렵, 그녀는 언론의 집중 스포트라이트를 받으면서 끝없이 달려나가고 있었다. 그 무렵 예전에 함께 근무했던 김성순이 《놀멍 쉬멍 걸으멍 제주올레여행》이라는 책을 보내주면서 머리도 식힐 겸 올레길을 한번 다녀오라고 하더란다.

책을 읽고 얼마 뒤 휴가를 내고 제주에 와서 올레길을 걷기 시작했더란다. 1코스 시흥 말미오름에서 시작해 밭담을 보고, 꽃을 만나고, 마을을 거쳐서, 종점인 성산포에 이를 즈음에 '내가 그동안 본 제주 풍경은 가짜였구나' 하는 생각이 들더란다.

박 경정에게 제주는 처음이 아니었다. 원래 여행을 좋아했던지라 1991년부터 예닐곱 차례 제주를 찾았고 딴에는 제주를 구석구석 안다고 자부했더란다. 하지만 두 발로 꾹꾹 대지를 밟으면서 구름과 하늘과 들꽃과 돌담과 바다를 온몸으로 느끼면서 걷는 올레길은 이전에 보지 못한 제주의 속살을 보여주더란다. 7코스쯤 이르자 비로소 '아, 제주에 내려와서 살아야겠다'는 생각이 들더란다.

올레는 제주의 풍광만이 아니라 그녀 자신을 만나게 해주었단다. 자신이 무엇 때문에 괴로워하는지, 무엇을 진정으로 좋아하는지 돌아보게 만들었단다. 베테랑 수사관이자 프로파일러로서 바쁘게 범인을 쫓아다니고 그들의 심리만 들여다보고 캐내기에 바빴는데, 길을 걸으면서 비로소 자신에게 말을 걸고 자신을 들여다보게 되더란다. 마치 23년간 기자 생활 동안 거물급 정치인의 뒤를 쫓아다니면서 그들에게만 마이크를 들이댔던 내가 산티아고 길에서 처음으로 내게 말을 걸고 스스로를 취재하게 되었듯이.

계급마다 특진을 거듭했던 그녀는 2017년 경정 심사를 통과했다. 승진자는 반드시 한번은 지방 근무를 해야 하는데, 그녀는 추호의 망설임도 없이 제주 근무를 자원했다.

그것도 잠시 근무가 아닌 마지막 근무지로 생각하면서.

　박 경정은 제주동부경찰서에서 2년간 근무한 끝에 올들어 서귀포경찰서 형사과장으로 부임하게 되었다. 뿐만 아니라 올레 여행 초기에 하도리에 사두었던 땅에 후배 김성순과 함께 집을 짓더니, 그 후배까지 제주도로 자원해 내려와서 서귀포경찰서에 근무하고 있다. 서귀포 신시가지에서 하도리까지 한 시간(제주에서 한 시간 거리는 엄청난 장거리다) 걸려 출퇴근하면서도 투캅스는 즐겁기만 하단다. 이토록 아름다운 출근길이 세상에 어디 있겠냐면서.

　박 경정과 나는 둘 다 시골 바닷가 출신의 여자로서는 당시 보기 드문 직업인 기자와 경찰이라는 꿈을 품고, 입문해 그 분야에서 일정한 성취를 이루었다는 점에서는 비슷한 길을 걸어온 셈이다. 하지만 그녀가 나보다는 한 수 위라는 생각이 들었다.

　그녀는 어떤 상황에서도 지치지 않았다. 어머니의 열렬한 성원과 지지 아래 서울의 사립대에 진학한 나와는 달리, 형제가 일곱이나 되는 어려운 집안 형편 때문에 고등학교 3학년 때 스스로 대학 진학을 포기하고 체력장도 보지 않고 대학입시날 홀로 경주 불국사를 찾아갔다. 그런 그녀가 기자 사회보다도 더 유리천장을 뚫기 힘들다는 경찰 세계에 입문해서 스스로 전설이 된 것이다.

나비를 따라가다
나비가 된 사람

어려서부터 나는 어지간한 곤충이나 동물은 다 싫어했
다. 우리 집 창고를 드나들면서 단골로 햄과 소시지에 구
멍을 뚫고 파먹기 일쑤인 쥐도, 학교에서 단체로 동원돼서
약솜을 묻힌 집게로 잡아야만 했던 소나무 위의 송충이도,
오일장에 단골로 팔려나오던 다리가 여럿인 지네, 땅을 기
어다니는 지렁이도 다 징그럽고 무서웠다. 하지만 단 하나
예외적인 존재가 있었으니 그건 나비였다.

서귀포 읍내 어디서곤 나비를 볼 수 있었다. 파랑 노랑

초록 하양 빨강 형형색색 무늬도 가지가지인 나비들은 바닷가 갯무우 꽃잎 위에, 시커먼 돌담 위에, 나뭇잎 가운데에, 초가집 지붕 위로 팔랑팔랑 사뿐사뿐 날아다니고 옮겨다녔다. 나비를 쫓아가다가 무릎팍이 까진 적도 부지기수였고, 소풍날 나비를 따라가다가 길을 잃어서 담임 선생님의 애를 태우기도 했다.

그토록 가냘프고 얇은 나비가 그토록 역동적이라는 게 참으로 놀랍고 신비했다. 대체 저 가벼운 몸 어디에 무슨 모터가 달려 있기에 이 꽃 저 꽃, 이 나무 저 나무 사이를 나풀나풀 날아다닐 수 있을까. 대체 그 작디작은 몸에 어쩌면 저리도 다양한 빛깔과 다채로운 무늬가 새겨질 수 있을까. 내 마음을 사로잡은 나비들의 색채는 육지에서 전학 온 병원장집 딸만 갖고 있던 48색 크레파스보다도 더 화려했다. 하지만 대학 진학 이후 서울에 눌러앉아 살게 되면서 나는 그 즐거움을 잃어버렸다.

《사사저널》에 다닐 때의 일이다. 직장의 회식 자리에서 나비에 대한 추억과 그리움을 이야기했더니, 교열부 이병철 차장이 반색을 하면서 세계적인 나비 연구자이자 '한국의 파브르'로 불리는 석주명 박사의 긴긴 이야기를 들려주었다. 처음 듣는 이야기였다. 더군다나 나비를 연구하기 위해 그의 짧은 생애 가운데 2년여의 세월을 내 고향 서귀포에서 보냈다는 이야기를 듣고선 내 무식이 참으로 부끄러웠다.

그때부터 석주명 박사에 대한 문헌과 기록을 닥치는 대로 찾아서 읽어보았다. 아, 학자로서 그의 성취는 그를 낳은 시대가 부끄러울 만큼 위대했고, 그의 생애는 믿기 힘들 만큼 드라마틱했고, 그의 죽음은 받아들이기 힘들 만큼 안타까웠고, 제주도에 대한 그의 사랑은 고맙기 그지없었다.

그는 경술국치를 2년 앞둔 1908년 평안남도 평양에서 태어났다. 개성 송도고등보통학교를 졸업한 뒤에는 1926년 일본에서도 명문으로 손꼽히는 가고시마 고등농림학교의 관문을 뚫고 입학했는데, 당시로서는 유일한 조선인 학생이었다. 졸업 이후 송도중학교 생물 선생으로 부임한 그는 학생들에게 방학숙제로 나비를 채집해 가져오도록 했다. 이렇게 채집된 나비들과 그가 직접 전국을 나비처럼 떠돌면서 채집한 나비 표본으로 가득 찬 송도고보 박물관은 전국에 명성을 떨치면서 개성의 명소로 자리잡았다.

이런 연구 결과를 바탕으로 그는 세계 생물지리학계에서 불후의 명작으로 꼽히는《한국산 나비 분포도》를 발표했다. 몇 년 뒤 발표한《조선나비 총목록》이 한국인의 저서로는 처음으로 영국 왕립도서관에 소장되면서, 그는 세계적인 학자의 반열에 올랐다. 그가 이름(학명)을 붙여주고 주소(분포도)를 찾아준 조선의 나비들은 무려 248종. '한국의 파브르'라는 별칭이 따라다녔다.

죽음은 어처구니없이 다가왔다. 경성제대 교수였던 그는 한국전쟁의 와중에도 나비의 꿈을 쫓느라 피난도 떠나지 않았다. 하지만 그런 그의 노력을 비웃기라도 하듯 인민군의 폭격으로 국립과학박물관이 통째로 불타고 말았다. 그가 20여 년간 수집한, 그의 분신과도 같은 나비 표본이 한줌의 재가 되고 만 것이다. 불행은 여기에서 끝나지 않았다.

1950년 10월 6일 국립과학박물관 재건회의에 참석하느라 학교로 가던 그를 군인들이 인민군으로 오인해 총살했고, 그의 시신은 회의 시간이 되어도 나타나지 않는 것을 이상하게 여긴 조교에 의해 발견되었다. 총격을 당할 당시 그가 비명과 함께 남긴 말은 "나는 나비밖에 모르는 사람이야"였다고 한다.

하지만 석주명이 사랑한 건 나비만이 아니었다. 그는 1943년 4월부터 1945년 5월까지 만 2년이 넘는 세월을 서귀포에서 살면서 나비를 연구하다가, 급기야 제주도와 사랑에 빠지고 말았다. 그가 근무했던 경성제대 부속 생약연구소(현 제주대학교 아열대 농업식물과학연구소)는 서귀포 토평 입구 영천동에 위치해 있다. 그는 이곳 허름한 슬레이트 단층집에서 혼자 숙식을 해결하면서 나비 연구에 몰두했다.

그는 나비를 채집하기 위해 제주도 전역을 돌아다니다가 자연스럽게 제주어에 관심을 갖게 되었다. 육지와는 단어 자체가 많이 다르고 전혀 다른 문법 체계를 보이는가하면, 조선 중기 아래아 발음이 고스란히 살아 있는 제주어가 천생 학자인 그의 호기심을 자극한 것이다. 그는 나비를 채집하듯 제주어를 채집해 같은 대학 국어학 교수의 자문을 받아가면서 제주어의 독특한 음운 체계를 분석했다. 그 집요한 연구 결과는 《제주어 갈래말 연구》로 집대성되었으니, 한 학자가 생물학과 언어학에서 독보적인 연구를 동시에 해낸 세계적으로도 보기 드문 사례였다.

서귀포로 귀향한 직후, 나는 제주시에서 서귀포로 가는 일주도로를 지나던 중 도로변 한 귀퉁이에 세워진 자그마한 흉상을 발견했다. 저 남자는 누구지? 아아, 흉상의 주인공은 석주명 선생이었다. 얼굴 조각상 밑의 표석에는 선생의 이력과 생애가 길게 설명되어 있었다.

반가우면서도 한편으로는 미안했다. 제주학의 효시이자 세계적인 나비 박사의 흉상을 이렇게 차량들이 씽씽 달리는 도로변 한 귀퉁이에 세워놓다니. 그는 자신이 평생 사랑했던 대자연 속에서 팔랑거리는 제주 나비와 노니는 대신 오가는 차량의 소음을 견디고 있었다.

그나마 몇 년 전부터 '석주명을 사랑하는 서귀포 사람들의 모임'과 영천동 주민들이 발벗고 나서서 선생이 근무했던 연구소 부지에 석주명 기념관과 기념공원을 조성하는 사업을 추진하고 있으니 다행스러운 일이다. 머지 않아 선생의 흉상도 자신이 기거하던 그 공간으로 돌아가서 사랑하는 나비들과 더불어 편히 쉴 수 있으리라. 비록 고향 평양에는 다시 돌아가지 못했지만, 제2의 고향으로 여겼던 서귀포에서라도.

제주 이발소집

아들이 만드는 노래 이야기

내가 그들의 음악을 처음 접한 건 2008년 어느 가을날 서귀포 이중섭거리에서였다. 길을 걸어가는데 음악 소리가 들렸다. 서귀포 시내에서는 흔히 있는 일인 데다 약속도 있어서 그냥 지나갈 요량이었다. 그런데 묘하게도 흥겨운 라틴풍 음악이 지나가는 내 귀를 붙들고 발목을 잡았다.

전주가 끝나고 노래가 시작되자 깜짝 놀랐다. 노랫말이 토종 제주어였다. 해녀 공연에서 제주어로 노래를 하는 경우는 더러 있었지만 저렇듯 빠르고 경쾌한 라틴 음악에 제주어를 입히다니 뜻밖이었다. 반전의 매력이 철철 넘쳤다.

게다가 노랫말이 무척 재미있었다. '몬딱 도르라('함께 달리자'라는 뜻의 제주어)'라는 단어가 여러 번 되풀이되었다. 초등학교 운동회 때 선생님, 친구, 가족들이 달리기를 할 때마다 외쳤던 응원 구호가 '도르라, 재기 도르라(달리자, 빨리 달리자)'였다. 그걸 이 젊은 친구들이 노랫말에 써먹을 줄이야. 노래를 부르는 리드보컬은 달리는 걸 넘어서서 방방 날았다. 그들의 연주와 노래를 듣다가 끝내 약속 시간을 훌쩍 넘기고야 말았다.

옆에서 함께 듣던 후배에게 물었다. "저 밴드 이름이 뭐야?" "사우스카니발! 제주에서는 제법 유명한 밴드라고요. 리드보컬이 강경환이라는 친구인데 정말 노래 잘해요. 춤도 잘 추고요. 작사 작곡 다 한다니까요." 흠, 사우스카니발이라…. 밴드 이름부터 라틴풍이군. 그들의 이름을 머릿속에 입력해두었다.

길을 찾고 길을 잇고 길을 내고 길을 걷느라고 잊고 지내던 그들을 다시 만난 건 이듬해인 2009년 제1회 제주 올레걷기축제에서였다.

첫 축제 때 선보인 사우스카니발에 대한 올레꾼들의 반응은 그야말로 폭발적이었다. 전국 각지에서 몰려든 올레꾼들은 물론 17개 나라에서 참석한 '세계트레일컨퍼런스' 참가자들은 국적을 넘어서서 제주의 아름다운 풍광 속에서 이들의 음악에 맞춰 몸을 흔들었다. 그들은 '몬딱 도르라'라는 제주어를 몰랐지만, 온몸으로 몬딱 도랐다.

축제가 끝나고 나는 축제를 빛낸 사우스카니발에게 거하게 한잔을 사겠다고 제안했다. 헌데 또 다른 반전! 밤새 부어라 마셔라 술을 마실 것 같은, 노래하는 내내 엄청난 끼를 발산하던 리드보컬 강경환은 술을 아예 한 모금도 못 하는 친구였고, 다른 대부분의 멤버들도 술을 못한단다.

그후 자연스레 강경환과 여러 차례 차를 마시면서 그의 개인사와 음악 철학에 대해 듣게 되었다. 놀랍게도 그는 내가 유년기를 보냈던 자구리 바닷가 근처에서 성장했단다. 그는 내게 말했다. "이사장님 책에 자구리가 많이 언급된 걸 보고서 엄청 동질감을 느꼈어요. 사실 저를 키운 팔할이 자구리 바당과 친할망이거든요."

하례리 오래된 이발소집 아들이라는 이야기를 주변에서 들은 적이 있는데 웬 자구리? 알고 보니 그가 어릴 적에 부모가 이혼하는 바람에 그는 하례리에서 멀리 떨어진 자구리 근처 친할망 손에 맡겨져 성장기를 보냈단다. 어쩌다 어머니가 교문 앞에 찾아와서 주고 간 용돈으로 크레파스를 샀다가 담임 선생님에게서 할망 돈을 훔쳤다는 의심을 받기도 했더란다.

당시 유행하던 나이키 운동화가 신고 싶어서 어렵사리 용돈을 모아모아 중고 운동화를 사서는 품에 안고 잤던 시절이었다. 그래도 무뚝뚝하면서도 정을 베풀어주는 할망과 바당이 가까이 있어서 나름 행복했단다. "당시 자구리 바닷가에는 심방('무당'을 뜻하는 제주어)이 살던 굿당이 여럿 있었어요. 그때 많이 들은 이야기가 동네심방 안 알아준다는 이야기였어요."

그래서 만든 제주어 노래가 〈동네심방〉이다. 사실 〈동네심방〉 이야기는 21세기 심방인 '사우스카니발'의 경험담이기도 하다. 육지나 외국에서 활동하는 뮤지션은 거액의 개런티를 들여서 초청하면서도, 제주 청년들로 구성된 '사우스카니발'은 실력이 더 뛰어나도 '소정의 개런티'만 주거나 아예 공짜로 써먹으려는 경우가 많았다. 그 아픈 경험을 녹여서 만든 노래가 〈동네심방〉이다.

동네심방인 '사우스카니발'은 제주올레걷기축제 이후 점차 그 이름이 알려지면서 육지로 진출했다. 사우스카니 발이 육지에서 제법 잘 나간다는 소문이 들려왔고, 난 그럴 만한 잠재력이 충분한 친구들이라서 그러려니 고개를 끄덕였다.

머릿속에서 지워져가던 사우스카니발을 다시 만난 건 2019년 4월 서귀포 예술의전당에서 열린 한 공연에서였다. 거의 8년 만이었다. 아, 개구쟁이 꼬마가 의젓한 청년이 된 것처럼 그사이 음악의 키가 훌쩍 커졌고 영혼이 훨씬 풍요로워졌음을 금세 깨달을 수 있었다. 보컬 강경환의 창법은 훨씬 세련되고 음색은 풍성해졌고, 팀의 악기도 보강되고, 멤버도 늘어나 있었다. 멤버들은 각자 자신의 악기를 즐기면서도 전체적으로 멋진 앙상블을 선보였다.

어지간해서는 미동도 하지 않고 체면을 차리는 지역의 관객들마저 다 흥겨워 들썩이게 만든 그들의 공연이 끝나자마자, 난 조명이 꺼진 무대 위로 더듬거리면서 뛰어올라갔다. 강경환은 나를 보더니 깜짝 놀라며 반겼다. 나는 물었다. "대체 그새 무슨 일이 있었기에 이렇게 음악이 더 멋

져진 거야?"

늦은 밤 이중섭거리의 카페에서 그들의 지난 이야기를 압축해서 들었다. 그들은 서울 기획사에 발탁되어 육지에서 활동하면서 시간이 흐를수록 자기들이 원래 추구하는 음악 세계와 동떨어지고 있음을 느끼게 되었더란다. 그들이 제주어로 가사를 쓰면서도 라틴풍 음악을 추구한 것은 두 지역이 갖는 공통된, 거대한 식민지 모국이나 중심부로부터 핍박받고 살아온 변방의 독특한 정서가 있다고 생각했기 때문이다. 식민지로서 수탈과 억압을 당하면서도 남미가 특유의 낙천적이고 경쾌한 음악과 춤을 발전시켰듯이, 제주 역시 육지 본토에서는 찾기 힘든 여유로움과 수눌음(품앗이) 문화가 있으니 그 제주스러움을 라틴음악과의 결합과 조화 속에서 표현하고 싶었던 사우스카니발이었다. 자연히 한국의 상업적 음반 시장과는 괴리가 있을 수밖에 없었다.

그들은 2014년 고민 끝에 기획사와 결별하고 그들의 롤 모델인 '부에나비스타소셜클럽'의 나라 쿠바로 날아갔다. 다시 초심으로 돌아간다는 마음으로. 그들은 로망의 땅에 도착한 설렘이 채 가시기도 전에 엄청난 충격에 직면

했단다. "가족끼리, 혹은 도제식으로 음악을 전수받은 거리의 뮤지션들이 프로인 저희보다 노래와 연주를 훨씬 잘하는 거예요. 엄청난 회의와 좌절감에 잠이 다 안 오더라고요. 음악을 계속 해야 하나 접어야 하나 방황했지요."

접는 대신 그들은 다시 도전하기로 했다. "그 뮤지션들의 눈빛이 정말 살아 있더라고요. 자신들의 음악을 즐기면서 하는 그런 눈빛. 그래, 우리도 고향으로 돌아가서 우리만의 것, 제주만의 것을 만들자 생각했죠."

그들은 서울에서 하방해 제주시 인근 허름한 녹음실에 둥지를 다시 틀었다. 그렇게 새로이 사우스카니발의 이름을 알려갈 즈음 2018년 러시아에서 열린 '풋볼앤뮤직페스티벌&아트풋볼'에 한국 대표로 출전해달라는 제안을 받았다. 참가만으로도 기쁨이고 입상권에 들면 영광이라고 생각했는데 뜻밖에도 밴드 부문에서 우승 트로피를 거머쥐었다. 아시아 밴드로는 처음이었다.

"이 트로피 들고 귀국하면 난리나겠구나 부푼 마음으로 귀국행 비행기를 탔죠. 헌데 아무 일도 안 일어났죠. 지방선거일 닷새 전이라서 그런지 신문에 한 줄도 나오지 않더라고요."

그사이 사우스카니발의 멤버는 7명에서 10명으로 늘어났고, 가끔 12명까지도 무대에 선다. 활발한 공연 활동으로 얼마 전 제주도 공식 홍보대사로 위촉됐지만, 그들은 여전히 음악으로만 생계를 꾸리지는 못한다. 멤버들은 공연이 없는 날에는 저마다 대리운전 기사나 음악강사 등으로 부업을 뛴다. 하지만 좋아하는 음악을 할 수 있고, 음악으로 제주의 정서를 알릴 수 있는 것만으로도 행복하단다.

　방탄소년단이 부르는 한국어 노래를 전 세계 팬들이 따라 부르듯이, 언젠가 사우스카니발의 제주어 노래를 전 세계 팬들이 따라 부를 날이 오기를 꿈꿔본다. 내게는 그들이 이미 '제주의 BTS'다.

서
귀
포
를
아
시
나
요

"밀감 향기 풍겨오는 가고 싶은 내 고향, 칠백리 바다 건
너 서귀포를 아시나요." 나도 모르게 그 노래를 흥얼거리
고 있었다. 아침 산책길에 새연교를 건너서 잠시 쉬려고
벤치에 앉으면 자동으로 그 노래가 흘러나왔다. 까맣게 잊
고 지내다가, 서귀포로 돌아온 뒤로 거의 날마다 듣게 된
이 노랫말을 지은 이가 궁금했다. 떠나온 고향을 절절하
게 그리워하는 내용이고 보면 보나마나 서귀포 출신임에
틀림없다. 찾아보니 작사가 이름은 정태권. 주위의 서귀포

출신들에게 물어보니 다들 모른단다. 이럴 때는 무조건 인터넷 검색에 의존할 밖에. 어라, 뜻밖에도 1952년생 경기도 파주 출생으로 나온다. 꽤 오래전 노래인데도 작사가가 뜻밖에도 나와 거의 동시대 인물인 데다, 심지어 그 애절한 노랫말을 육지 사람이 썼다니, 당혹스럽기 짝이 없었다. 대체 무슨 연유로, 타향인 서귀포를 두고 이런 노랫말을 쓴 것일까. 잠자던 기자 본능이 깨어났다.

그가 풀어놓는 이야기는 기대 이상, 상상 이상으로 드라마틱했다.

'군불을 때면 연기조차 빠져나가지 못한다'는 두메산골 파주 용상골 촌아이 정태권은 태어날 때부터 약시였단다. 양안 시력이 0.1~0.2 수준으로 가까이 앉아서 봐도 잘 보이지 않는 수준의 시력이란다. 우윳빛 유리로 경치를 보는 격이랄까. 그러다 보니 밖에서 뛰어놀기보다는 집에서 그림 그리고 일기 쓰면서 시간을 보냈고, 글 쓰는 게 습관이자 일상이었다.

그런 그가 작사가의 길로 들어서게 된 것은 고등학교 2학년 겨울방학 때 아버지의 심부름으로 수원을 다녀오던 길에 고속버스 안에서 들은 라디오 방송 덕분이었다. 라디오를 듣다가 아마추어 작사가들이 노랫말을 응모하면 당선작에 기성 작곡가가 곡을 붙여서 유명 가수에게 부르도록 하는 '신가요박람회'가 있다는 걸 알게 되었더란다. 그는 단박에 고향 우물가 풍경을 그려낸 〈앵두꽃 아가씨〉를 투고했단다. 졸지에 당선작으로 뽑혀 당대 최고인 김학송 작곡, 정훈희 노래로 발표가 되었더란다.

이후 작사가 정두수 선생의 권유로 정 선생이 운영하던 세광음악학원에 입학해서 본격적으로 작사가의 길로 접어들어 300여 곡의 노랫말을 발표했으니, 본업은 공무원이지만 평생 작사가의 길을 걸어온 셈이란다.

〈서귀포를 아시나요〉를 작사하게 된 것도 우연의 연속이었다. 그가 이 노래를 작사한 것은 1970년 고등학교를 졸업하던 해였다. 유난히도 더웠던 그해 8월 부모님 몰래 고향 친구들과 당시 젊은이들 사이에서 유행하던 무전여행을 떠났더란다. 4명으로 시작한 여행은 대천에서 의견이 갈리면서 친구 2명은 떠나버리고, 당숙인 친구와 그만 남았더란다. 당숙도 그냥 집으로 돌아가자고 했다. 중도 포기하고 서울역 가는 표를 끊으려고 대천역 매표소에서 줄을 섰는데 젊은 여성이 앞에 서 있더란다. 혼자 목포역으로 가서 제주행 배를 탈 거라는 여성의 말에 그들도 용기 내어 목포로 향했고, 그렇게 3명이 4박 5일 제주여행의 길동무가 되었더란다. 육지 촌놈이 난생처음 제주에 왔으니 모든 풍경이 신기했는데, 흐릿한 시력으로도 가장 아름다웠던 곳이 서귀포 바닷가였더란다.

한없이 이국적인 아름다움에 흠뻑 취한 나머지 이 느낌을 어떻게든 표현해야겠노라고 마음먹었더란다. 다음해인 1971년 봄 제주여행의 감회를 떠올리며 시상을 가다듬던 중 문득 '서귀포를 아시나요'라는 제목이 떠올랐다. 타이틀이 뽑히자 곧바로 작사에 들어갔는데, 완성하는 데 채 5분도 걸리지 않았다. "돌이켜보면 내가 쓴 게 아니라 신의 섭리로 신의 역할을 대행한 게 아닌가 싶을 정도예요. 서귀포와 전생에 인연이 있지 않고서야 어떻게 그렇듯 순식간에 써낼 수 있었을까 싶어요."

작곡은 〈여인의 눈물〉 〈가버린 영아〉 등 당대의 히트곡을 만든 유명 작곡가 유성민이 맡았다. 다음은 유성민 씨의 회상.

"어느 날 선배 작곡가가 일기장 비스무레한 노트 한 권을 건네주고 갔어요. 죽 훑어보는데 눈에 확 띄는 글이 있더라고요. 두 개를 골라서 곡을 붙였는데, 나중에 알고 보니 정태권 씨 습작 노트였더라고요. 거기에서 건진 게 〈서귀포를 아시나요〉였죠."

노래는 만들어진 뒤에도 한 차례 굴곡을 겪었다. 처음에는 다섯 살에 데뷔해서 '꼬마 천재가수'라고 불리던 오은주가 불렀다. 노래 제목은 '내 고향은 서귀포'였다. 하지만 그해 내린 폭우로 제작한 LP 앨범이 모두 빗물에 침수되는 바람에 곡은 사장될 뻔하다가, 이듬해 작곡가 유성민이 오아시스 레코드사로 스카웃되면서 전속가수 조미미의 정규앨범 타이틀 곡으로 다시 발표되었다. 제목도 '서귀포를 아시나요'로 바뀌었다.

반응은 가히 폭발적이었다. 당대 최고 인기 가수 조미미가 부른 이 노래는 가요 순위 차트에서 1위를 연속 차지했다. 당시 10만~20만 장만 팔려도 성공이라고 자축하던 시기에 앨범은 100만 장이 팔리는 대히트를 기록했다. 노래는 단순히 음반 시장에만 영향을 미치지 않고, 1960년대부터 불기 시작한 서귀포 관광 붐을 본격화하는 데에도 크게 한몫했다.

사실 서귀포를 배경으로 한 노래는 이미 있었다. 일제강

점기 〈서귀포 칠십리〉를 시작으로 한국전쟁 당시 대표적인 진중가요 〈삼다도 소식〉, 1960년대 트로트 열풍 속에 발표된 〈서귀포 바닷가〉, 〈서귀포에 우는 사나이〉, 〈서귀포 소식〉, 〈서귀포 아가씨〉, 〈서귀포야 잘 있거라〉 등 지방 소읍 중에 유례를 찾기 힘들 만큼 노랫말에 많이 등장했다. 그러나 서귀포를 전국민에게 각인시킨 노래는 〈서귀포를 아시나요〉가 결정판이었다.

정태권 선생이 서귀포항을 거닐었던 1970년에 나는 여중생이었다. 그는 등굣길에 스쳤던 수많은 무전여행자들 중 하나였는지도 모른다.

서귀포는 동양의 나폴리다. 떠나는 것이 아니라 모두가 돌아오는 곳,
다시 시작하는 곳. 수많은 만남, 인연, 사랑, 사연들이 어우러져
한 폭의 수채화처럼 펼쳐지는 진정한 서귀포를 당신은 보셨는지요.

돌아온 한라꽃방 딸들。

'서귀포의 몽마르트르 언덕'으로 불리는 이중섭거리. 이중섭미술관 주차장에 차를 세워놓고 여행자들은 이중섭 화가가 살던 집을 기웃거리고, 미술관을 한바퀴 휘 둘러본다. 그러곤 그 언덕을 오르면서 거리에 촘촘히 늘어선 기념품 가게에 들러서 물건을 고르기도 하고, 1960년대 포스터가 붙어 있는 관광극장 앞에서 포즈를 취하기도 한다. 샤방샤방한 프릴 달린 원피스를 한껏 차려입은 아가씨들, 견학 관광을 온 듯한 죄다 비슷한 양복 차림의 중년 남자들, 입술만 새빨갛게 칠했을 뿐 얼굴엔 솜털이 보송보송한 수학여행단 고교생들, 시끄러운 사성 어조의 중국인 가족 관광객들….

국적도 나이도 성별도 가지가지다. 매일올레시장만큼 멀미가 날 정도는 아니지만, 내가 십수년 전에 가본 파리의 몽마르트르 못지않게 사람들이 오간다. 언덕에서 되돌아서면 화가 이중섭이 그린 〈섶섬이 보이는 풍경〉에 등장하는 서귀포 앞바다가 건물들 사이로 언뜻언뜻 보인다. 풍광으로는 몽마르트르보다도 더 회화적이다.

이중섭거리는 매일올레시장과 함께 서귀포를 찾는 여행자라면 한번은 꼭 들러야 할 핫플레이스로 꼽히는 관광명소다. 하지만 이 거리는 '사람은커녕 개도 안 지나가는 거리'로 통하던 을씨년스럽기 이를 데 없는 곳이었다. 내가 올레길을 내기 위해 고향을 다시 찾았을 때의 풍경이 그러했다.

그때 그 텅 빈 거리를 목격하는 내 심정은 마치 내 유년기와 사춘기를 송두리째 도둑맞은 기분이었다. 매일올레시장통과 더불어 관광극장 동네(당시 이중섭거리 대신 이렇게 불렸다)는 서귀포 토박이들에겐 수많은 기억의 저장고이자 숱한 이야기가 묻힌 곳이었다. 어머니에게 혼이 나면 난 관광극장 바로 맞은편 언덕 위의 슬레이트집에 사시는 '미리쓰' 할머니를 찾아가곤 했다. 고향인 성읍리에서 타지인 서귀포로 와서 가게를 연 어머니에게는 마땅히 속엣말을 털어놓을 친척이 전무했다. 그런 그녀에게 나름 교양 있고 온화한 성격의 미리쓰 할머니는 친정어머니이자 멘토 같은 존재였다. 자연히 어쩌다 한번 찾아와서 지저분하게 산다고 어머니를 혼내기만 하는 외할머니보다 더 가깝고 정겨운 존재였다.

그 거리는 중학 시절부터는 내 등교 루트이기도 했다. 매일올레시장통에서 당시 1호광장께에 있던 여자중학교에 가려면 관광극장 언덕길이 가장 지름길이었다. 중학생이던 내게는 이 언덕이 꽤나 가파르게 여겨졌다. 가끔 비바람이 거세게 부는 날에는 날아갈세라 최대한 어깨를 잔뜩 구부리고 땅에 발을 딱 붙이고 한 발 한 발 전진했다. 동네 사람들은 그런 날 보면서 "아이고, 명숙상회 똘 보름에 불리키여게(명숙상회 딸 바람에 불려가겠네)"하면서 안쓰럽게 쳐다보곤 했다. 게다가 이 거리는 내 영혼에 자양분을 공급하는 문화의 거리이기도 했다. 이 거리의 관광극장과 삼일극장에서 순시 나온 선생님께 걸릴까 봐 가슴을 졸이면서 수입 외국영화를 몰래몰래 봤고, 그 영화를 보면서 먼 나라에 대한 아련한 동경과 좁은 지역에 사는 갑갑함을 달래곤 했다.

하지만 30여 년 만에 고향으로 돌아와보니, 미리쓰 할머니가 살던 집은 흔적도 없이 사라지고 사람들이 줄지어서 극장 표를 사던 관광극장 앞은 괴괴하기만 했다. 나를 놀려대던 동네 삼촌들이 살던 집들은 남아 있었지만, 아무도 살지 않는 듯 문들이 굳게 닫혀 있었다. 그 거리에 있는 거라고는 이중섭 거주지와 미술관, 언덕 중간에 있는 '중섭식당'이 고작이었다. 할머니만 혼자 사는 거주지 초가집, 옛날 포스터가 붙은 영화관, 주인 할아버지와 할아버지 또래의 술꾼 두엇이 온종일 테이블을 지키는 중섭식당…. 거리의 풍경은 1960년대 영화를 찍는 세트장 같았다. 언덕배기 한켠에 우뚝 솟은 생뚱맞게 현대적인 이중섭 미술관만 빼놓으면.

노인성을 세상에 다시 불러낸 공무원 윤봉택의 제안으로 화가 이중섭 가족이 피난 시절에 1년 남짓 몸을 의탁했던 거주지 앞에 표지석이 처음 설치된 것은 1995년. 그 뒤 이중섭거리가 선포되고 이중섭미술관이 세워졌지만 오랜 시간에 걸쳐 서서히 퇴락하고 기울어진 구도심 거리는 쉽사리 되살아나지 않았다. 미술관이 개관하고 난 뒤에도 이곳을 찾는 관람객 수는 한 해 5만 명도 채 되지 않았다. 그마저도 미술관만 둘러보고 난 뒤에는 차를 몰고 떠날 뿐, 그 언덕을 오르지는 않았다.

'개도 지나가지 않는다'는 그 언덕을 어느 날부터 사람들이 오르기 시작했다. 제주올레 6코스는 종전에는 이중섭 거주지와 미술관에서 다시 바닷가로 내려가는 루트였지만, 2009년 매일올레시장으로 올라가는 6-B 코스가 새로 생겨났기 때문이었다.

내가 카페 '메이비'와 혜연이를 만난 것도 그 무렵이었다. 왕년에 서귀포에서 가장 큰 건물로 꼽히는 명소였지만 구도심 쇠락으로 절반 넘게 비어 있는 삼일빌딩 앞을 지나는데 갑자기 눈앞이 환해졌다. 예쁜 꽃방이 새로 들어선 것이다. 반갑게도 내 오랜 단골 꽃집인 '한라꽃방'이 저 위쪽 자리에서 여기로 옮겨왔단다.

서귀포에서 유서 깊은 꽃집이자 대표적인 플로리스트

인 고영의 대표가 운영하는 '한라꽃방'이 이 침침한 거리를 환하게 밝혀줄 것 같아서 너무나도 기뻤다. 사실 아름다운 바닷가를 거쳐온 올레꾼들을 매일올레시장으로 이끌기 위해 이 괴괴한 거리를 지나게 하는 게 못내 마음에 걸렸던 터였다.

꽃집 옆에 예쁜 카페도 새로 문을 연 듯했다. 시선이 그쪽으로 향하자 고 대표는 약간 망설이는 표정으로 "우리 딸이 시작한 카페예요. 서울에서 멀쩡하게 좋은 직장을 다니다가 웬 바람이 불었는지 고향에 와서 카페를 하겠다고 고집을 부려서…."

올레꾼들은 늘 날 만나면 불만을 털어놓았다. 풍경은 더할 나위 없는데 맛있는 커피가 그립다고. 왜 서귀포에는 맛있는 커피를 파는 가게가 없느냐고. 괜찮으면 소개할 요량으로 당장 들어가보았다. 인테리어가 여느 가게와는 완전 다른 분위기였다. 사방을 진한 빨강 페인트로 칠해놓고, 이국적인 소품과 다양한 책들을 구비하고 있었다. 내가 좋아하는 남미의 음악이 흘러나오는 그 카페에서 고영의 대표의 셋째 딸 혜연이를 처음 만났다.

그녀는 뚜렷한 이목구비를 갖춘 미녀이자 재원이었다.

제주에서 대학을 나오고 캐나다에서 공부를 더한 뒤에 서울의 한 미디어 회사에서 해외 채널을 담당하는 일을 오래 해왔단다. 아직은 큰 도시에서 활발하게 활동할 시기에 번듯한 직장을 그만두고 고향에 내려온 이유가 궁금했다.

해외 여행도 여기저기 많이 다녔다는 그녀는 말했다. "이곳저곳 세계를 떠돌아다닐수록 서귀포만 한 데가 없다는 생각이 점점 더 들더라고요. 어릴 적에는 이곳을 언제면 떠날까 갑갑해했었는데. 흐흐. 서울서 직장을 다니면서 더 절실하게 돌아오고 싶어졌어요. 어머니를 설득했죠. 어머니 아버지 더 나이 들기 전에 고향에서 함께 살고 싶다고."

이곳에 카페를 낸다고 했더니 아는 사람들이 다 말렸단다. "사람 꼴도 못 보는 이 거리에 가게 열면 100퍼센트 망한다"면서. 그래도 꿋꿋하게 밀어붙였더니 이번에는 동네 사람들이 가게를 들여다보고는 다들 혀를 차더란다. 무슨 이렇게 이상하게 가게를 꾸며놓았으냐고. 그녀는 그런 주변 사람들보다는 믿었던 어머니의 흔들림에 더 큰 상처를 받았노라고 털어놓았다. 딸만 넷을 낳아 기르면서도 늘 네 딸을 사랑과 지지로 길러낸 어머니였단다. 심지어 대학 졸업 뒤 인도로 나홀로 여행을 떠날 때도 말리는 대신 잘 다녀오라고 격려하고, 긴 유럽 여행 중에 너무나도 어머니의 묵은지 김치찌개가 그립다고 전화기에 대고 엉엉 우는 딸에게 거기에서만 먹을 수 있는 맛있는 서양 음식 실컷 먹고 오라고 쿨하게 대응했던 어머니였다. 그도 그럴 것이 혜연이의 어머니는 서귀포YWCA의 창립멤버로 활동해온 대표적인 '신여성'이었다.

"얼마 전에 제게 어머니가 넌지시 부탁하시더라고요. 제발 주위 사람들에게 카페 한다고 하지 말고 커피숍 한다고 하라고, 어머니가 날 부끄럽게 여기는 것 같아 얼마나 속상하던지. 그런데 올레 이사장님이 카페 차린 거 정말 잘했다고, 카페 생겨서 너무 좋다고 해주시니 정말 기운이 나고 백만 응원부대 생긴 것 같아요." 혜연이는 끝내 눈물을 보였다. 나는 고 대표가 왜 그런 이야기를 했는지 짐작이 갔다. 서귀포에는 1980~1990년대에 '카페' 간판을 내걸고 비싼 양주와 안주를 손님들에게 파는 가게들이 성행했고 그 때문에 평범한 시민들 사이에서는 카페에 대한 안 좋은 인식이 널리 퍼져 있었다. 나는 그녀에게 내가 올레 길을 내겠다고 어머니에게 말했을 때도 비슷한 일을 겪었다고 얘기해주었다.

산티아고 여행길 막바지에 길동무인 영국 여자 헤니와 이야기를 나누던 중 고향 제주로 돌아가서 길을 내겠다는 결심을 굳힌 나는 귀국 후에 주변을 정리하기 시작했다. 이제나 저제나 본업인 언론인으로의 복귀를 맘속으로 간절히 바랐던 어머니에게는 비밀로 한 채. 하지만 제주행을 목전에 두고 더는 미룰 수 없게 되었고, 나는 어머니에게 내 꿈을 조심스레 설명했다.

그녀는 예상했던 것보다 훨씬 더 격앙된 반응을 보였고, 더 깊이 실망했다. 네가 도로공사 직원도 아니고 왜 엉뚱하게 길을 내려는 거냐, 그것도 창피하게 고향으로 돌아와서. 좁은 동네에서 얼마나 말이 많겠느냐 등의 논리를 펴면서 완강히 반대했다. 그런데도 내가 뜻을 굽히지 않는 듯하자 "내가 매일시장통에서 찬물에 콩나물을 씻어 팔면서 남들이 다 비웃는데도 딸을 서울, 그것도 등록금 비싼 사립대에 보내놓았더니 이런 꼴을 보려고 그랬나" 하면서 거실 바닥에 엎드려 통곡하기 시작했다. 그 이야기를 들려주었더니 혜연이는 대략 난감한 표정이었다. "아, 이사장님에게도 그런 시절이 있었군요. 생각해보니 그럴 만도 하네요."

우리는 불효녀끼리 의미심장한 웃음을 공유했다. 자신이 선택한 길을 흔들림 없이 꿋꿋이 걸어가는 것이 궁극적으로 부모에게 효도하는 길이라는 데도 의견 일치를 보았다. 아무리 사랑하는 부모라도 내 길을 대신 걸어줄 수도, 삶을 대신 살아줄 수도 없다는 것도. 그때부터 우리는 때로는 조카 이모처럼, 자매처럼, 친구처럼 서귀포에 사는 기쁨과 어려움을 공유해나가는 사이가 되었다.

한라꽃방 딸들의 귀환은 계속되었다. 이듬해에는 막내인 시아도 귀국했다. 혜연이는 유창한 영어와 프랑스어만으로도 나를 주눅들게 했는데, 시아는 영어, 일어, 중국어에 다 능통했다. 그녀는 아예 부모가 꾸려나가던 꽃집을 거들러 돌아왔다. 가냘픈 만큼 호리호리한 몸매의 그녀는 커다란 화분이며 꽃나무를 번쩍번쩍 드는 괴력을 발휘해 나를 놀라게 만들었다. 그녀는 제주가 좋아서 내려온 육지 출신 미술가와 연애를 하는가 싶더니, 결혼을 하고 아이를 둘이나 연달아 쑥쑥 낳았다. 그들의 아이 그린이와 그림이는 볼 때마다 물을 많이 준 화초처럼 쑥쑥 자라면서 카페 '메이비'의 고양이에 이어 이중섭거리의 또 다른 아이콘으로 떠올랐다.

둘째 딸 지연이는 맨 나중에 합류했다. 마치 동화 속에서 막 튀어나온 요정처럼 생긴 그녀는 알고 보니 엄청 빡세게 일해야만 했던 한 일류 의류 브랜드의 팀장 출신이었다. 오래 일하던 직장이라서 신변 정리를 하는 데 시간이 걸리는 바람에 '고향에 내려가 더 늦기 전에 부모님과 함께 살자'는 자매들과의 약속을 가장 늦게 실행에 옮긴 것이다.

돌아온 세 자매는 생업인 카페와 꽃방 일 못지않게 이중섭거리를 찾는 여행자들, 특히 외국인들의 도우미 노릇을 자처한다. 그들이 구사하는 외국어만으로도 이 거리를 찾는 어지간한 외국인들과는 다 소통이 가능한 데다 세 자매 모두 세계 여러 나라를 두루 여행해본 경험이 많기에.

행정은 인적이 끊긴 이중섭거리에 거주지 복원과 미술관이라는 인프라를 깔았고, 민간 조직인 (사)제주올레는 그 거리를 올레길로 연결했다. 그리고 '한라꽃방'의 세 딸들은 그 거리에 젊은 여행자, 외국인들을 불러들이고 그들의 발길을 멈추게 만들었다. 개도 안 지나간다는 이중섭거리의 부흥은 그렇듯 천천히, 의도치 않은 협업 속에서 이루어졌다.

이스탄불을 여행하는 동안, 나는 고향 서귀포를 자주 떠올렸다. 예전의 영화롭던 오스만제국의 유적들이 꼿꼿하게 자존심을 지키면서 서 있는 그 오래된 도시는 유럽과 아시아의 경계에 있는 지리상 여건 때문인지 모든 게 복합적이었다. 유럽인가 싶으면 아시아적이고, 아시아적인가 싶으면 유럽적인 요소가 불쑥 고개를 내밀었다. 한 도시에 이렇게 복합적이고 이질적인 요소가 혼재하고, 한 도시에 이렇듯 긴 세월의 흔적이 떡시루처럼 켜켜이 쌓여서 공존

하다니. 그런가 하면 거리에는 세계 각국에서 온 여행자들이 넘쳐 흘렀다.

서귀포는 오스만제국의 수도 이스탄불처럼 세계사의 주인공이 된 적도 없고, 그처럼 기나긴 역사를 자랑하는 곳도 아니다. 하지만 나는 이스탄불이라는 도시가 갖는 여러 겹의 얼굴, 모순적 상황의 동시적 존재, 그 키치적인 면모에서 서귀포를 여러 번이나 떠올렸다.

서귀포를 이루는 한 가지 요소는 제주 전반에 걸친 괸당 문화다. '괸당'이란 제주에서 멀고 가까운 친척들을 두루 일컫는 말로, 괸당문화란 예로부터 척박하고 핍박받아온 변방의 땅 제주에서 괸당들끼리 좋은 일이건 나쁜 일이건 함께 힘을 모아 헤쳐나가는 제주만의 독특하고 공동체적인 문화를 말한다.

제주시에 비해 촌이고, 농어촌 마을에 비해선 큰 어중간한 규모의 서귀포. 그런데도 예전 씨족사회 때부터 시작된 괸당문화는 여전히 질기게 뿌리를 내리고 아직까지도 고스란히 전승된다. 서귀포 토박이들끼리는 한 다리만 건너면 다들 알 만한 집안, 친인척인 경우가 대부분이다. 괸당들끼리는 생로병사에 관련된 그 모든 크고 작은 행사를 서로 돕고 참여하는 게 불문율이다.

예전보다 단출해졌다고는 하지만, 아직도 결혼식 때는 온종일 동네 잔치를 하고 장례 때에는 괸당들끼리는 3일 내내 상가를 지키고 일년에 몇 차례씩 돌아오는 제사에 함께 참여한다. 명절 때는 괸당문화가 그 절정을 구가한다. 이 집에서 제사를 지낸 뒤, 저 집에 가서 차와 떡을 먹고, 또 다른 집에 가서 점심을 먹고, 마지막 집에 가서 또 차를 마시면서 순회를 해야 명절답게 보내는 것으로 간주한다.

괸당문화가 강고하게 존재하는 서귀포에는 그러나 이주민들도 그 어느 곳보다 많다. 조선시대 육지에서 귀양을 왔다가 정착한 양반들의 후손은 차치하고서라도 근대 이후 이주의 역사도 꽤나 길고, 이주의 경로도 다양하다. 우선 한국전쟁 때 이중섭 화가나 우리 아버지 서송남 씨처럼 육지에서 잠시 전쟁을 피해 오거나 아예 삶의 터전을 전쟁터에서 가장 멀리 떨어진 이곳 서귀포로 옮기는 이들이 있었다.

본격적인 대규모 이주의 계기는 뭐니 뭐니 해도 1960년대 중반부터 시작된 감귤 재배 열풍이었다. 당시 일본에서 들어온 온주밀감이 대량재배에 성공해 '황금작

물'로 떠오르면서, 귤농사의 본거지인 서귀포에는 '감귤 이민자'들이 밀려들기 시작햇다. 너른 과수원 한켠 돌집에 온 식구가 기거하면서 귤밭을 관리하는 과수원지기와 가족들, 농부들에게 밭떼기로 사서 육지로 되파는 감귤 중개인들이 그들이었다.

그들 대부분은 진도, 완도, 강진 등 전라남도 남부 지방에서 먹고살기가 힘들어 이곳 제주섬까지 흘러내려온 이들이었다. 한 가족이 내려와 자리를 잡으면 아는 친인척들을 차례차례 불러들여 다른 과수원에 소개하거나 노점상을 열도록 도와주었다. 우리 교포들이 미국 사회에 정착하거나 요즈음 결혼이주여성들이 우리 사회에 정착하는 과정과 비슷한 양상이었다.

한때 서귀포 시내 언저리에 '호남촌'이라고 불리는, 전라도에서 이주한 사람들끼리 모여 사는 동네가 따로 있을 정도였다. 이들은 다소 느리고 무뚝뚝한 서귀포 토박이들과는 달리 바지런하고 싹싹해서 서귀포의 상권을 빠르게 장악해나갔다. 심지어 장사로 돈을 벌어 자기가 과수원지기로 일하던 과수원을 사들인 이들의 성공 신화가 심심찮게 떠돌아다녔다.

감귤이 생계형 이주자를 불러들였다면, 관광은 또 다른 형태의 이주자를 서귀포로 끌어들였다. 1960년대 후반부터 시작된 허니문여행과 무전여행 붐을 타고 이국적 풍광의 서귀포를 찾았던 육지 사람들 중에는 이곳에 꽂혀서 이주를 결심하는 경우가 종종 있었다. 그런가 하면 이승만 대통령이나 정주영 회장처럼 정치권력자나 돈 많은 사업가들이 별장을 구입해 틈날 때마다 이곳을 찾기도 했다.

올레길이 열린 2007년 이후에는 '올레 이민자'들도 생겨나기 시작했다. 올레길을 걷다가 제주 이주를 결심한 사람들은 대개는 제주시보다 기후가 더 따뜻하고 덜 번잡한 서귀포 쪽으로 정착하는 경우가 많았다. 서귀포 뉴스만을 발굴하고 다루는, 문자 그대로 '지역신문'인 〈서귀포신문〉에 1년 넘게 이주민 인터뷰가 연재된 적이 있다. 인터뷰를 읽다 보면, 직업도 성별도 연령도 다 달랐지만 '올레길을 걸으러 왔다가…'라는 사연이 공통분모처럼 들어가 있곤 했다. 7~8년 전부터 유행하기 시작한 '한달살이'를 거쳐서, '일년살이'를 하다가, 아예 이주를 하는 패턴도 공통적이었다.

이중섭거리 카페에서 만나 친하게 지내는 육지 이주민 호야와 미국 출신 크리스티나. 이들도 이주민 중 하나다. 자기 생에서 동북아 한반도 맨 남쪽 끝 도시 서귀포를 찾게 될 줄은, 게다가 그곳에서 이렇게 오래 살게 될 줄은, 심지어 뼈를 묻을 제2의 고향으로 삼게 될 줄은 상상도 하지 못했던 그들이다.

서울에서 내려온 호야. 그녀는 이중섭거리에서 기념품을 파는 가게 직원이다. 나이는 마흔을 넘어섰지만 얼핏 보면 동화책《말괄량이 삐삐》에서 갓 튀어나온 열여덟 소녀 같다. 하지만 얘기를 길게 하다 보면 직장을 다니고 가게 일을 하면서 산전수전 공중전을 다 겪어본 그녀의 내공이 얼마나 대단한지, 세상을 바라보는 시선이 얼마나 깊은지 깜짝깜짝 놀랄 때가 많다. 내가 가끔씩 '800세 호야'라고 놀리는 이유다.

그녀가 제주, 그것도 서귀포에 정착하게 된 과정은 한 편의 코믹 로드 무비 같다. 서울 동대문에서 패션숍 직원으로 오래 일하다가 너무나도 지겨워서 더는 못하겠더란다. 일단 쉬었다가 재취업할 생각으로 회사를 그만두고 바람이나 쐴 작정으로 생애 처음으로 나홀로 여행을 떠났고,

그러다 보니 부산항에 이르렀단다. 부둣가를 거닐다가 제주행 여객선 매표소 앞에서 '에이, 제주도 가서 하루만 있다가 오자. 조그만 섬이니 다음 배 타기 전까지 다 돌 수 있겠지' 생각했더란다.

용두암, 용연계곡 등 제주시 쪽을 얼추 둘러보는 데만도 하루가 다 지나갔고, 서귀포로 넘어가면 더 볼 것이 많고 더 아름답다고 누군가가 귀띔하더란다. 버스를 타고 중문 즈음에서 내려 중문해수욕장 가는 버스를 기다리는데 갑자기 택시가 와서 서더니 버스 값만 주면 중문까지 데려다주겠다고 제안하더란다.

웬 떡이냐 싶어서 냉큼 올라탔고 기사 아저씨가 사정 이야기를 듣더니 여기 식당을 소개해줄 테니 취직해 살면서 제대로 구경하다가 올라가라고 하더란다. 그날 기사 아저씨가 데려다준 곳은 당시 중문의 핫플레이스인 향토 식당 '덤장'이었단다.

난생처음 해보는 식당 일이었지만, 육지에서부터 손님을 상대하는 일에는 이력이 붙은 싹싹하고 바지런한 호야는 주인 아저씨의 귀여움을 받게 되었더란다. 가끔씩 토박이 식당 아주망들의 텃세에 직면하기도, 제주 사투리를 못 알아듣는다고 지청구를 듣기도 했지만, 시간이 흐르면서 그럭저럭 적응이 되더란다. 그렇게 만 6년이 순식간에 흘러갔더란다.

어느 날 문득 식당을 떠나야겠다는 생각이 들더란다. 그래서 그녀는 서귀포로 진출해 일할 곳을 알아보다가 이곳 이중섭거리의 기념품 가게를 소개받게 되었더란다. 원래 솜씨가 좋아 서울에서도 패션 제품을 직접 만들었던지라, 제주 해녀를 모티브로 팔찌를 비롯한 여러 가지 수공예품을 만들고 조립하는 일이 적성에 딱 맞더란다.

이제 그녀는 이중섭거리의 '호호할머니'로 통한다. 카페의 스타 고양이들은 물론이고 이 거리의 모든 길냥이들을 거두는가 하면, 플라스틱 음료수 컵이나 아이스크림 막대기를 아무 데나 버리는 수학여행단 학생들을 따끔하게 혼내기도 한다.

그런 호야와 가장 친한 친구가 미국인 크리스티나. 그녀는 미국에서도 가장 추운 지역에 속하는 아이오와주 출신이다. 직업군인 출신 가정에서 자라나 대학에서 문화인류학을 공부했지만, 원어민 영어교사를 자원해 한국으로 건너왔다. 그녀는 서울에서 일하면서 제주로 휴가를 왔다가 그만 서귀포와 사랑에 빠지고 말았단다. 추운 지방 출신이지만 추위를 싫어하는 그녀에게 아름다운 바닷가와 멋진 폭포와 공원이 있는 따뜻한 서귀포는 파라다이스 그 자체였단다. 음울하고 추운 파리에서 고통스러워하던 고흐가 황금빛 태양이 비치고 새벽 하늘이 푸르른 남프랑스 프로방스에서 동생 테오에게 이곳은 천국이라고 격하게 편지에서 찬탄했던 것처럼.

그녀가 얼마나 서귀포를 사랑하는지는 제주시로 발령이 나고, 근무지 근처에 숙소를 제공해준다는데도 악착같이 왕복 3시간여가 걸리는 서귀포-제주 간 버스를 타고 출퇴근하는 데에서도 알 수 있다.

지난해 그녀는 미국과 유럽에 사는 큰오빠, 작은오빠, 여동생과 조카들을 서귀포로 초청해 자신이 사랑하는 이 도시를 자랑스럽게 안내했다. 그녀의 가족들은 크리스티나가 아시아의 동쪽 끝에서도 최남단 섬에서 대체 어떻게 사나 걱정했더란다. 하지만 서귀포에서 일주일간 지내다가 돌아가는 날, 그들은 내게 크리스티나가 왜 이곳을 그토록 사랑하는지 알 것 같다면서 흡족해했다.

호야와 크리스티나는 몇 마디 간단한 인사말 외에는 서로 한국말과 영어를 못하지만, 늘상 저녁 때마다 이중섭거리 카페에서 만나 낄낄거리며 무언가 대화를 나눈다. 함께 카드놀이도 하고, 동영상을 공유하기도 하고, 술잔을 부딪치기도 하면서. 그렇게 그들은 서귀포에서 새로운 '글로벌 괸당'이 되어간다. 올레길에서 만난 사람들이 '올레 괸당'이라고 자처하듯이.

## 땅에 엎드려 꽃을 피우는 남자

서귀포칠십리시공원의, 그 자리를 지나칠 때마다 그 남자가 엎드려 있었다. 한두 번 무심코 지나가다가 문득 호기심이 생겼다. 자세히 들여다보니 그는 다리를 전혀 못 쓰는 하반신마비 장애인이고, 그 옆에는 휠체어가 놓여 있었다. 아, 시에서 장애인 배려형 일자리를 마련한 모양이구나, 휠체어에 앉아서 작업하는 일자리도 있을 텐데 저렇게 땅을 기어다니다시피 작업하게 만들다니, 잠시 그런 생각을 했다.

한번 보이기 시작한 그 남자는 그 뒤로도 계속 눈에 띄었다. 어느 날 인사를 건넸다. 수고하시네요. 그가 나를 올려다보면서 화알짝 웃었다. 문득 그가 시청에서 지급되는 그 어떤 조끼나 작업복도 착용하지 않았음에 생각이 미쳤다. 그렇다면 왜 날마다 여기 엎드려서 무엇을 하는 것일까. 그는 대답했다. "꽃을 심어요. 코스모스. 좀 있으면 사람들이 보게 될 거예요." 그는 그날을 상상만 해도 즐겁다는 듯 얼굴에 또다시 웃음꽃을 피워냈다.

다음 번에는 아예 그 남자와 대화를 나누려고 공원을 찾아갔다. 그렇게 두세 번 긴 대화를 나누면서 알게 된 그의 사연은 참으로 드라마틱했다. 그의 부모는 육지에서 먹고살기 힘들어 제주로 흘러든 생계형 이주자였다. 생계에 쫓긴 부모가 아이의 소아마비를 제때 치료해주지 못해서 그는 하반신을 아예 쓰지 못하는 장애인이 되고 말았다. 휠체어가 없던 시절이라 14년간 아예 바깥 세상을 구경하지 못한 채 집안에서만 지냈다. 학교 문턱은 넘어보지도 못했다.

그런 그를 아버지는 6년간 등에 업고서 여호와의 증인 교회에 데리고 가서 교리공부를 시켰다. 그는 그곳에서 한글을 배우고 하나님의 존재를 믿기 시작했다. 스무 살이 되던 해에는 서울로 올라가 6개월간 시계 수리 기술을 배우고 수리와 판매를 겸하는 조그마한 시계방을 동네에 냈다. 사람들은 시계는 친인척이나 동창 연고가 있는 가게에서 살 수밖에 없다면서 미안해하며 그에게는 소소한 수리만 맡겼다. 그것만으로도 고마워서 성심성의껏 최선을 다해 수리를 해냈다. 조금씩 입소문이 나면서 시계방은 자리를 잡았다.

어느 날 그는 아버지에게 교회 게시판에 아들이 짝을 구한다는 광고를 내달라고 했단다. 아버지가 그 이야기를 듣더니 고개를 푹 꺾고 한숨만 내쉬더란다. 네가 어찌 장가를 가겠느냐고. 그가 반박을 했단다. 아니, 아버지가 그런 희망을 못 가지시면 어떡해요?

결론부터 얘기하면, 그는 마침 하나님께 올해 안에 좋은 짝을 찾게 해달라고 기도하던 한 여성을 만나게 되었더란다. 몇 달간 전화로만 데이트하면서 한 달에 전화비만 십몇만 원이나 나오기도 했더란다. 그녀는 마침내 제주도로 그 남자를 만나러 왔고, 직접 만난 지 두 번 만에 성생활이 가능한지와 빚은 없는지 물어보더란다. 성생활은 가능하며 빚은 조금 있다는 말에 결혼하자고 하더란다. 남자와 여자는 결혼해서 자녀 셋을 낳았고, 시계방은 세월이 흐르면서 서귀포에서 세 손가락 안에 드는 귀금속 전문숍이 되었더란다.

3년 전, 그는 아버지의 가게를 물려받을 준비를 서울 강남과 종로 귀금속상가에서 묵묵히 해온 장남에게 맡긴 뒤 자신은 동업자 몫의 월급을 받기로 하고 현업에서 물러났단다. 그럴 즈음 같은 교회를 다니는 친구가 그에게 칠십리시공원에 나가서 전도를 하자고 제안하더란다. 시공원에서도 울창한 난대림에 둘러싸인 정방폭포가 한눈에 내려다보이는 전망대 앞에 두 사람은 자리를 잡았더란다.

"아, 심심해서 발밑을 내려다보는데 잡초가 마구잡이로 자라서 잔디를 다 망치고 난리도 아니더라고요. 사람들 기다리는 동안 이거라도 해야지 싶었죠. 잡초를 다 뽑고 나니 이번엔 꽃을 심으면 어떨까 생각이 들더군요."

꽃모종 값은 자신의 용돈에다 지나가던 사람들이 가끔씩 그에게 천 원에서 만 원까지 쥐여주는 돈을 차곡차곡 모아서 충당한단다. 자기를 집도 절도 없는 장애인 노숙자로 여겨 돈을 쥐여주는 이들에게 사정을 일일이 얘기할 수도 없어서 그냥 받는단다. 에라 그 돈 꽃모종 사는 데 보태자 생각했더니 맘이 편해지더란다.

그는 자연이 선사하는 치유의 힘을 열렬히 믿는 사람이다. 가게 일을 할 때도 쉬는 날은 물론이고 잠시라도 시간만 나면 차를 몰고 나가서 바닷가에 앉아 바닷바람을 쐬곤 했다. "가게에서 닳은 배터리를 바다에서 충전하고 돌아오는 거죠."

두어 달 시간이 흐른 뒤, 그 낮은 곳에 엎드려 그가 도모한 기적은 꽃을 피우고 열매를 맺기 시작했다. 어느 날부터 키가 자라는가 싶더니, 몽올몽올 열매가 맺히는가 싶더니, 아! 마침내는 쏘옥 꽃을 밀어올려 내더니, 기어코 온 공원을 코스모스 꽃밭으로 만들고야 말았다.

어느 날 서귀포칠십리시공원에 들르게 된다면, 그대 그곳 시비에 새겨진 시들을 한번 찬찬히 읽어보고 그곳의 코스모스와도 정겹게 눈을 맞춰보기를. 그리고 그 코스모스를 우리에게 선물한 한 남자의 순정한 노동도 기억해주기를.

혼자서 길을 걷다 보면 문장이 온다. 아이디어가 오고 좋은 생각이 오고
내가 인생의 어느 길을 가야 할지 판단하게 된다. 그것이 '걷기'가 지닌 힘이다.

# 번번이 무언가에 빠졌던 계집아이

나는 제법 큰 가겟집의 상호에까지 오른 '특별한 존재'였지만, 실제로는 어지간히 주변머리가 없고 야무진 구석이라곤 없는 아이였다. 동네 애들과 어울리지도 못했고 할 줄 아는 놀이도 없었고 운마저 지지리도 없었다.

맨 먼저 기억나는 나의 불운은 대여섯 살 무렵 시장 공중화장실에 빠진 일이다. 당시 매일시장에는 공중화장실이 있었고 동네 주민들과 상인 그리고 시장 고객들이 죄다 이 화장실을 이용했다. 재래식 공중화장실이 다 그렇듯 어둑시근하고 지지분하고 지독한 냄새가 나는 그런 곳이었다. 하지만 우리 집과 옆집이 함께 쓰는, 똥돼지가 사람 똥을 받아먹으려고 기를 쓰고 머리를 쳐들고 기다리는 '도통(변소)'에 비하면 한결 나았다. 볼일을 보는 내내 혹여 똥돼지에 받히지나 않을까 전전긍긍하면서 엉덩이를 한껏 쳐드는 수고는 안 해도 되니까.

그날도 우리 집 화장실을 놔두고 시장 입구의 화장실로 달려갔다. 가던 중 누군가가 날 지켜보는 듯했지만 급한지라 허둥지둥 문이 열린 칸으로 들어가기에 바빴다. 볼일을 보고 주섬주섬 옷을 다시 걸치고 문을 열려는데, 아뿔싸 문이 열리지 않았다. 힘이 부족한가 싶어서 한껏 힘을 주어 밀쳤지만 도무지 열리지 않았다. 아까 문득 내 뒤에 서 있던 동네 남자애의 얼굴이 떠올랐다.

그애가 일부러 잠갔구나! 공포감이 엄습했다. 개구쟁이로 동네방네에 악명이 높았던 안당, 그애였다. 온 힘을 다해 큰 소리로 살려달라고 외치면서 문을 두들기다가, 그만 오줌으로 번질거리는 바닥에 발이 미끄러지는가 싶더니 금세 똥통 안으로 몸이 빨려들어갔다.

아, 50년도 더 흐른 지금도 그때 기억, 그때의 냄새, 그

때의 감촉만큼은 마치 엊그제 일처럼 생생히 떠오른다. 그 아득하고 어두운 심연, 억겁처럼 느껴지던 공간과 시간! 조금만 더 있으면 입과 코까지 똥더미에 묻힐 판이었다. 마지막으로 필사적으로 소리를 내질렀다. 살려주세요, 제발 제발! 갑자기 사람들의 발소리가 들리더니 화장실 문이 벌컥 열리고 누군가가 내게 막대기 같은 걸 내밀었다.

그 뒤 기억은 공중 수돗가에서 완전히 발가벗겨진 채 어머니가 내게 양동이째로 물을 퍼붓던 장면으로 이어진다. 어머니도 울고, 나도 울었다. 동네 사람들이 지켜보는 가운데 온몸에 똥을 묻힌 채 서 있는 게 부끄러워서였는지, 무사히 바깥 세상으로 나온 게 기뻐서였는지 모르겠다. 그 뒤 우리 어머니는 액막이를 하려면 똥떡을 해서 돌려야 한다는 이웃들의 성화에 떡을 해서 온 동네에 돌렸다.

개구쟁이 안당이 자칫하면 나를 죽일 뻔한 가해자였지만, 화장실을 들렀다가 비명소리를 듣고 날 구해준 생명의 은인 또한 안당의 아버지였다. 어머니가 안당의 머리통을 쥐어박으면서 다시는 그러지 말라고 으름장을 놓는 한편, 안당 아버지에게는 연신 머리를 조아리면서 감사 인사를 하는 '웃픈' 장면에 동네 사람들은 웃음을 터트렸다.

언젠가 올레길을 걷던 중 중문 컨벤션 근처에서 안당과 맞닥뜨린 적이 있다. 그는 시청의 환경미화원으로 열심히 올레길을 청소하는 중이었다. 내가 그때 일을 기억하느냐고 물었더니 고개만 갸웃거렸다. 원래 가해자는 잘 잊어버리는 법이다.

초등학교 들어가기 전, 서귀포읍에 처음으로 생겨난 서귀유치원에 입학했다. 읍내에서 나름 살 만한 집안의 자녀들은 죄다 이 유치원에 몰려들었다. 주변머리가 없고 소극적이고 할 줄 아는 놀이도 없는 난 늘 외톨이에 왕따였다. 심지어 서귀포 유일의 백화점인 '오케이백화점' 딸 선영이는 미끄럼을 타면서 양갈래로 땋아내린 내 머리채를 잡고 내려올 정도였다. 머리통이 깨질 정도로 아팠지만 뭐라고 항의조차 하지 못하던 어리숙한 아이였다.

그런데도 어머니의 극성스러운 교육열은 멈출 줄 몰랐다. 그녀는 변변한 놀이조차 끼지 못하는 나를 선생님에게 특별히 청을 넣어서 발레연습단에 끼워넣었다. 유치원 졸업 기념으로 여자애들 7명으로 꾸린 발레단을 관광극장 무대에서 선보인다는 게 당시 유치원의 계획이었다. 대부분 얼굴도 예쁘고 동작도 야무진 부잣집 아이들이 선발되었는데, 나만 예외였다. 어찌어찌 연습을 끝내고 마지막 리허설까지 마쳤다. 공연을 위해 미리 맞춘 하늘하늘한 레이스가 달린 발레복을 차려입고 귓가에 하얀 깃털을 꽂고서.

서귀포초등학교 빈 교실에서 리허설을 끝낸 우리는 동네 유일의 사진관인 라이카사에서 단체사진과 독사진을 번갈아 찍었다. 그러고는 만화방에 들러 만화를 보다가 바깥이 어둑어둑해진 걸 깨닫고 서둘러 집으로 향했다.

어머니에게 너무 늦었다고 혼날까 봐 서둘러서 그랬는지, 어두운 밤길에 발을 헛디디는 바람에 난 그만 길 옆 도랑에 빠지고 말았다. 눈처럼 새하얀 발레복이 누우런 흙탕물에 푹 잠기고 말았다. 맏딸인 애순 언니가 온 힘을 다해서 비누칠을 하고 방망이로 두들겨댔다. 하지만 흙탕물 얼룩은 제대로 지워지지 않았다. 어머니는 눈물을 머금고 유치원 선생님께 출연시킬 수 없노라고 통보해야만 했다.

언젠가 앨범 정리를 하다가 촌스러운 발레복을 입고 잔뜩 긴장한 표정으로 양손을 가지런히 모으고 있는, 볼살 통통하고 배가 볼록한 여자애를 발견했다. 그날 개울에 빠지는 순간 느꼈던 감정이 마치 어제 일처럼 생생하게 덮쳐

왔다.

똥돼지가 꿀꿀대던 도통과 유치원의 발레 공연. 전근대의 토양 위에 근대의 물결이 거세게 밀려들던 1960년대 초반 서귀포읍의 풍경이었다.

서귀포에 와서 새로 터전을 꾸미고 사는 수많은
젊은이들을 만났다. 화가, 음악가, 사진가, 작가….
그때마다 로맹 가리의 소설
《새들은 페루에 가서 죽다》의 문장이 떠올랐다.
"새들에게는 이곳이 믿는 이들이 영혼을 반환하러
간다는 인도의 성지 바라나시 같은 곳일 수도 있었다."
대한민국 국토 남단 서귀포에는
분명 그들이 무엇인가 새로 시작하고 꿈꿀 수 있는
성스러운 기운이 있다는 것을 나는 알았다.

4부

서귀포에서
무산까지 걸어서 가자

저 오름을 넘으면 보일까. 개성 너머 신의주 지나 두만강 건너 국토 북단 함경도.
한라의 봉우리에서 백두의 봉우리까지 길을 여는 것이
나의 아니 우리 모두의 마지막 소원이다.

와랑와랑한 불볕더위가 시작되면 시원한 용천수에서 멱을 감으려는
아이들의 까르르 웃음소리와 정자에 앉아 바람을 쐬면서 피서를 즐기는
어른들의 시끌벅적한 웃음소리가 어우러져 공원은 활기를 띤다.

## 물의 도시가 선물한 숨겨진 정원

　부끄러운 이야기지만 서귀포로 다시 돌아오고 나서도 한참 뒤에야 걸매생태공원의 존재를 알게 되었다. 자구리 공원은 어릴 적 놀이터였고, 정모시공원은 내가 사는 집 근처였고, 칠십리시공원은 이런저런 야외 행사가 열려 시민들에게 잘 알려진 공간이었다. 하지만 걸매생태공원은 올레 7-1코스를 내면서 처음 만난 공간이었다. 서귀포 도심 한켠에 이토록 아름답고 신비로운 곳이 있다니.

　공원 입구에는 이 공원의 과거와 현재를 비교하는 사진

이 나란히 붙어 있다. 흐르는 개천과 주변의 오래된 나무들만 같을 뿐, 완전히 다른 풍경이다. 예전엔 산비탈에는 무허가 건축물이, 공원 부지에는 농사용 비닐하우스가 즐비한 곳이었다.

주변 나무들은 두 팔 벌려도 다 못 안을 만큼 나이 든 나무들이지만, 내 마음을 더욱 사로잡은 건 이곳을 흐르는 개천이었다. 삼다수의 고장 제주이고, 사면이 바다로 둘러싸인 제주이건만 물이 흐르는 개천을 보기 힘든 곳도 제주다. 한라산에서 흘러내린, 하늘에서 떨어진 빗물은 물빠짐이 좋은 현무암 토양인지라 땅속 깊숙이 흘러 흘러 가다가 간간이 특정 지역에서만 용천수로 그 모습을 드러낸다. 그러니 제주도 하천은 대개 바위들만 그 거친 근육을 울끈불끈 드러내는 건천乾川(조금만 가물어도 이내 물이 마르는 내)인 경우가 대부분이다. 반면 한라산 남쪽 서귀포는 '물의 도시'라고 할 만큼 사시사철 물이 흐르는 유수천流水川이 곳곳에 자리 잡고 있다.

서귀포의 용천수는 제주에 비해 숫자는 적지만 용출량이 풍부하다. 강수량이 많은 기후와 해수면 위에 위치한 지형 덕분이다. 용출량이 풍부한 서귀포 용천수는 예래천,

중문천, 회수천, 악근천, 연외천, 영천, 창고천 등의 여러 유수천을 만들어냈다. 이들 하천에서는 바위틈을 통해 끊임없이 용천수가 솟아나면서 연중 물이 흐르고, 해안가 절벽에 이르러서는 폭포수를 만들며 바다로 흘러간다.

걸매생태공원에도 수량이 풍부한 하천이 도심 한가운데를 가로질러 흐른다. 바로 걸매생태공원 위에 서귀포 사람들의 최고 피서지였던 솜반천(홍로천, 연외천이라고도 하며 우리는 그곳을 선반내라고 불렀다)이 있기 때문이다. 솜반천에서 흘러내린 물은 걸매생태공원을 관통해서 흐르다가 마침내 절벽을 만나 수직 낙하를 하기에 이르는데 그것이 바로 천지연폭포다. 동홍천 물줄기가 흘러내린 정모시가 정방폭포의 발원지라면, 연외천에서 남류한 솜반천은 천지연폭포의 발원지다.


솜반천에 얽힌 어린 시절의 기억은 제법 많은 편이다. 돈내코는 당시로는 제법 먼 피서지였다면, 솜반천은 어린 아이들도 맘만 먹으면 갈 수 있는 피서지였다. 자구리나 소남머리 바닷가의 짠물에 넌더리가 나거나, 햇빛이 너무나도 따가운 날에는, 더위도 피할 겸 시원한 물놀이도 할 수많은 사람들이 산티아고 길을 걷듯이 언젠가 전 세계 트레일러들이 제주의 올레길을 걸을 것이라고 나는 확신한다. 그 길의 오아시스와도 같은 그 어디서도 느낄 수 없는 서귀포의 자구리공원, 걸매생태공원, 칠십리시공원, 정모시공원, 서복공원을 걸어보길.

어릴 적 놀이터였던 자구리공원, 울창한 난대림에 둘러싸인 정방폭포의 발원지 정모시공원,
시민들을 위한 야외 행사가 종종 열리는 칠십리시공원,
자연스러운 하천이 흐르고 자연이 만들어낸 암반과 언덕이 존재하는 걸매생태공원,
불로장생과 허망한 죽음의 이야기가 시루떡처럼 켜켜이 포개진 서복불로초공원.
아름다운 바닷가와 멋진 폭포와 공원이 있는 따뜻한 서귀포는 파라다이스 그 자체다.

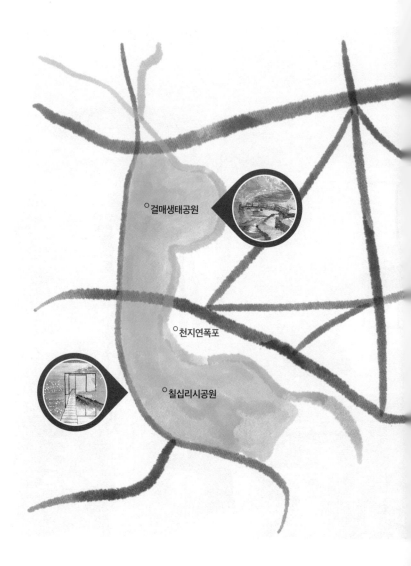

걸매생태공원

천지연폭포

칠십리시공원

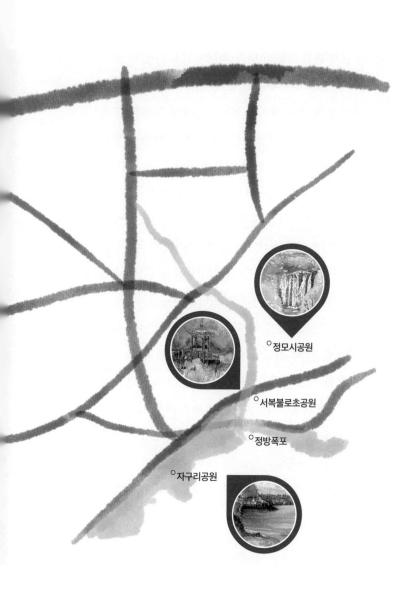

정모시공원

서복불로초공원

정방폭포

자구리공원

겸 아랫동네 바닷가 아이들은 윗동네 솜반천까지 원정을 가곤 했다.

군데군데 편편한 암반이 마치 평상처럼 널려 있는 솜반천에 홀러덩 옷가지와 가져온 간식 부스러기를 던져놓고 우리는 개울물에 풍덩 빠지곤 했다. 아, 그때 그 물의 수온은 어찌나 차가운지 들어가서 1~2분이면 이가 덜덜 떨릴 지경이었다. 두어 시간 놀아야 겨우 추위를 느낄 법한 자구리 바닷가와는 천양지차였다. 게다가 바다와는 달리 나무 그늘도 있어서 한여름 불볕더위를 피하기에는 안성맞춤이었다. 한밤중이면 동네 어른들이 몰려들어 러닝셔츠를 홀홀 벗어던지고 몸을 풍덩 담그거나 왁자지껄한 술판을 벌이곤 했다. 여름밤 테마파크였던 셈이다.

이 공원의 존재를 알게 된 뒤 나는 정모시에서 걸매로 사랑의 대상을 바꿀 지경에 이르렀다. 더군다나 (사)제주올레가 오래된 병원 건물을 사들여서 이곳으로 이사를 하고 난 뒤에는 올레센터에서 걸어서 5분 거리에 있는 걸매 생태공원은 내 정원이 되었다. 정모시공원에 이어 두 번째 정원을 갖게 된 것이다.

걸매의 하천은 정모시보다 좀더 자연스럽고 유장하고

수량이 풍부한 편이다. 봄철이 오면 하천가의 오래된 벚나무는 물이 부르는 노래에 마치 화답이라도 하듯 그 긴 가지를 길게 늘어뜨린다. 가지 끝에 매달린 화사한 벚꽃은 비 개인 어느 날 가보면 물 위에 화르르 떠 있다. 그 벚나무 근처 벤치에 앉아 책을 읽다가 흐르는 물소리가 음악 같아서 읽던 책을 덮고 물이 전하는 소리를 듣는다.

걸매의 봄을 알리는 전령사는 벚꽃 이전에 매화다. 걸매 생태공원 한 귀퉁이에는 수십 그루의 매화나무 군락지가 있다. 그 매화는 3월이면 벌써 가지 가득 꽃잎을 피워내느라 바쁘다. 마치 팝콘이 터지듯이 날마다 가보면 어제 다르고 오늘이 다르다. 그 벚나무 옆 정자는 앉아서 멍 때리기에 딱 좋은 장소다. 아, 이 고요한 정적이라니. 이렇듯 도심 한복판에서.

자신의 숨소리까지 들릴 듯한 공원은 언덕을 올라가면 갑자기 분위기가 달라진다. 왁자지껄한 소리가 들리는가 싶더니, 울긋불긋 화려한 색깔의 유니폼을 입은 선수들이 소리 치면서 내달린다. 걸매생태공원 위 걸매축구장의 정경이다.

1990년대 중반 이후 서귀포가 관광객의 발길이 둔화되

고 신혼여행객들의 발길이 뚝 끊기면서 고전을 면치 못하
자 그 활로로 모색한 것이 겨울철 운동선수 전지훈련을 유
치하는 것이었다. 따뜻한 남쪽 지방 서귀포로 와서 야외
동계훈련을 하게 되면 텅텅 비어가는 호텔이나 여관을 채
울 수 있으리라는 기대에서였다. 실제로 그 전략은 어느
정도 주효해서 다 죽어가던 서귀포 관광의 산소 호흡기 역
할을 톡톡히 해냈다. 걸매축구장은 바로 청소년 축구 전지
훈련의 전진기지 역할을 하는 곳이다.

기회가 있을 때마다 나는 올레사무국 직원들에게 입버
릇처럼 '가까이 있는 걸매생태공원을 우리 제주올레의 체
육관이나 헬스클럽으로 여기고 짬을 내서 자주 산책하라'
고 말한다. 수익사업도 별로 없고 후원금으로 유지되는 비
영리재단이라서 월급은 많이 못 주는 대신, 아름다운 야외
헬스클럽을 무기한 무료 제공하니 되도록 자주 이용하라
면서.

인터넷신문 《오마이뉴스》에서 내 인생 마지막 언론인
생활을 할 무렵, 난 이미 걷기에 중독된 사람이었다. 《시사
저널》에서 망가진 심신을 추스르기 위해 없는 운동신경에

유일하게 가능한 운동인 걷기에 매달렸고, 그 결과 나는 돌이킬 수 없는 걷기 중독자가 되었다. 물론 심신 피폐에 패가망신하기 십상인 술, 담배, 마약, 도박 같은 부정적 중독이 아닌 심신이 고양되고 삶이 풍요로워지는 '긍정적 중독'이었다.

날마다 걷고 싶었지만, 하루에도 시민기자들과 취재 기자들이 올리는 수백 꼭지의 뉴스를 읽어내서 뉴스 밸류를 판단하고 메인 화면에 배치하는 극한 직업이 언론사 편집국장이었다. 걷기를 위해 따로 시간을 낼 수 없었다.

그래서 짜낸 묘안이 점심시간 쪼개서 걷기였다. 꼭 참석해야 할 점심식사 자리가 아니면 되도록 피했다. 혼자 김밥이나 샌드위치로 점심을 때우고, 그렇게 아낀 시간은 걷는 데 아낌없이 투자했다. 당시 《오마이뉴스》는 정부서울청사 근처 내수동에 자리하고 있었다. 내수동 사무실에서 나와 사직동 입구를 거쳐서 효자동을 지나서 가다 보면 청와대 입구를 지키는 전경과 맞닥뜨린다. 잠깐 그와 눈을 맞추면서 인사를 하고 청와대 면회소 앞길을 지나 경복궁 돌담길을 둘러서 다시 내수동으로 돌아오는 40분 남짓한 도심 산책.

솜반천에서 흘러내린 물이 걸매생태공원을 관통해 흐르다 마침내 절벽을 만나 수직 낙하를 하는 곳, 천지연폭포. 그 아름다운 경관에 사람들은 발길을 멈춘다.

그나마 그 짧은 산책이 나 자신을 지나친 일에서, 너무 많은 자극에서 건져냈다. 그뿐 아니라 일더미에 파묻혀 방향을 잃고 헤매다가 다시 그 방향을 찾기도 했고, 당장 전화기를 붙잡고 지랄지랄 갑질을 할 뻔한 통제 불능의 순간에 회사를 빠져나와서 걷다가 그 마음의 지옥을 간신히 벗어나기도 했다. 책상 앞에서는 꽉 막혀서 전혀 진전이 없던 생각의 물꼬가 별안간에 확 터지기도 했다.

그때 서울 한복판에서 걸었던 산책 루트에 비하면 올레센터-걸매생태공원 루트는 황금 루트요 다이아몬드 코스가 아닌가.

다이아몬드 코스를 나 혼자만 즐기는 것도 좋지만, 무릇 아름다움은 나눌수록 귀한 건 공유할수록 더 즐겁고 행복한 법이다. 내가 마음속 보석 걸매생태공원을 감추지 아니하고 이렇듯 만천하에 공개하는 이유다.

걸매생태공원을 산책할 때마다 공원의 아름다움에 눈 뜨게 해준 뉴욕 센트럴파크보다 이 공원이 규모는 훨씬 작지만 더 아름답다는 생각이 든다. 센트럴파크 기획자들은 시민들이 정신병원에 가지 않고도 자연에서 힐링할 수 있도록, 일부러 호수를 만들고 언덕을 만들고 잔디를 심었다. 하지만 걸매에서는 인공호수보다 더 자연스러운 생태 하천이 흐르고, 자연이 만들어낸 암반과 언덕이 존재한다. 2002년 월드컵 축구대회 개최를 앞두고 서귀포시는 공원 프로젝트를 대대적으로 밀어붙였다. 하천과 고목을 고스란히 살리면서 비닐하우스만 걷어내고 작은 나무들을 새로 심은, 강상주 서귀포시장을 비롯한 당시의 공원 기획자들에게 박수를 보내고 싶다.

# 스스로 치유되는 행복한 병원, 길

고향에 돌아와 올레길을 내기 시작했지만 한동안 사무실이 따로 없었다. 내가 전세를 얻어서 살던 대포동 풍림 빌리지가 집이자 사무실이었다. 안은주, 이수진, 김민정 등 새 식구가 합류할 때마다 함께 살면서 근무했다. 눈을 뜨면 출근, 눈을 감으면 퇴근인 생활이 2년간이나 계속되었다.

그러다가 내가 중문의 추위를 견디지 못해 고향인 서귀포 구도심으로 이사를 하면서 '풍림' 사무실 시대는 막을 내렸다. 그 뒤 옮긴 곳은 월드컵경기장에 있는 사무실이었다. 서귀포시 스포츠 관련 사회단체들과 공유하는 건물이었다. 걷기를 스포츠로 받아들인 시청에서 그나마 싼 임대료로 공간을 내준 것이었다. 그러나 콘크리트로 둘러싸인 경기장 건물은 자연을 기치로 내건 올레의 이미지와 어울리지 않았고, 올레꾼들이 접근하기에도 쉽지 않았다.

그러던 중 오랫동안 방치되어 있는 '소라의 성'에 자꾸만 눈길이 갔다. 정방폭포와 소정방폭포 사이, 서귀포 최고의 바다 풍광이 내려다보이는 절벽 위에 자리한 그 건물은 오랫동안 시민들과 관광객들의 사랑을 받아온 공간이었다. 처음에는 전망대로 지어졌지만, 민간 소유로 넘어가면서 유명한 지역 맛집으로 군림하다가 서귀포 시청에서 다시 사들였다.

하지만 시청에서는 사들이기만 했을 뿐 예산 부족으로 그대로 방치해두는 바람에 낮에는 흉가, 밤에는 접근하기 힘든 우범지대가 되어갔다. 올레 6코스가 처음 열리던 때만 해도 이곳 정원에 앉아 '나폴리보다 더 아름답네' 하면서 감탄하는 올레꾼들을 심심찮게 볼 수 있던 곳이 이토록 황폐해지다니 믿어지지가 않았다. 더군다나 '소라의 성'은

김수근과 함께 한국 건축계의 양대 산맥을 이루는 김중업 선생의 유작으로 추정되는 근대 건축유산이 아니던가.

그러던 중 (사)제주올레가 2010년 농협중앙회로부터 농촌자원개발 특별공로상을 받게 되었다. 상금이 2천만 원이었다. 당시 박영부 서귀포시장을 만나 이 건물을 방치해 두느니 우리가 2층만이라도 고쳐서 사무실로 쓰면 서로 윈윈 아니냐고 제안했다.

박 시장은 시청 내부의 회의를 거쳐 우리에게 그 건물을 고쳐서 쓰도록 허가했다. 처음에는 2층만 썼지만, 문화체육관광부 공무원들이 올레 탐방을 왔다가 이 건물 전체를 보수할 돈이 없어서 제대로 사용하지 못하고 있음을 알고 중앙정부 차원에서 지원하기로 약속하기에 이르렀다. 문화체육관광부의 예산 지원으로 이 건물의 외벽에 칠해진 흰 페인트를 벗겨내어 현무암 본연의 모습을 되찾고 누수도 말끔히 잡아내면서 '소라의 성'은 말 그대로 여행자들의 성, 올레꾼들의 성지로 재탄생했다. 많은 사람들이 이 여행자의 성지 앞에서 인생샷을 찍으면서 감탄사를 연발했다. 풍림빌리지, 월드컵경기장 사무실을 거쳐 비로소 '올레 캐슬'에 안착한 듯한 기쁨은 그러나 오래가지 않았다.

어느 날 서귀포시 관계자들이 우리에게 다른 사무실을 알아봐야 할 것 같다고 어렵사리 말을 꺼냈다. 아니 이게 웬 말인가? 농협에서 받은 상금과 문화체육관광부 예산으로 마당에 잡초가 무성하고 천장에 녹물이 흘러내리고 벽에 금이 간 건물을 말끔히 단장해놓았는데, 웬 날벼락이란 말인가. 알고 보니 세월호 사고로 전국 공공기관이 소유한 건물에 대해 전수 안전 조사가 실시됐고, 그 결과 '소라의 성'이 위치한 절벽의 안전성이 의심된다는 것이다.

다른 문제도 아니고 안전 문제라니 어쩔 도리가 없었다. 장기적으로 쓰게 될 줄 알고 건물에 돈과 시간, 정성을 많이 들였던 터라 낙심이 컸다. 하지만 세월호 사고를 지켜보면서 그 무엇보다도 안전이 우선임을 절감한 우리였다. 그 건물에 대한 애정만으로 막무가내 버틸 수는 없는 노릇이었다. 2년 만에 우리는 다시 이삿짐을 싸야 했다.

일단 상황이 급한지라 시내 동문로터리 뒷골목에 있는 한 허름한 건물의 2층으로 아쉬운 대로 이사를 갔다. 그때부터 '사무국과 올레꾼의 지속가능한 센터'가 길 못지않은 화두로 떠올랐다. 2년에 한 번 보금자리가 바뀌는 상황을 국내외에서 오는 견학팀들과 올레꾼들에게 어떻게 설명해야 하는가, 2년마다 한 달 이상 이사 준비와 짐 풀기에 시간과 인력을 바치는 건 엄청난 낭비다, 어떻게든 안정적인 거처를 마련해야 한다는 등 여러 이야기가 오갔다.

회의 말미에 내가 농반진반으로 말했다. "칠십리시공원이나 소라의 성 근처에 몽골 천막 치고 근무하면 어떨까? 올레답고 좋지 않을까? 생전 이사를 안 가도 되고."

몽골올레 개척을 위해 몽골을 방문한 길에 몽골 천막에서 여러 날 잔 적이 있다. 제법 아늑했고 별다른 불편을 못 느꼈다. 몽골 천막을 나와서 바라본 밤하늘의 별들은 얼마나 총총하고 신비로웠던가. 이 말이 떨어지기가 무섭게 언론사 후배인 안은주 이사가, 어떤 일에도 웃음을 잃지 않던 그녀가 굳은 표정으로 단박에 반론을 내놓았다. "선배는 사무실로 출근하지 않으니 그런 낭만적 상상을 하는 거죠. 우리 몽골 천막 치고 근무하면 1년에 3분의 2밖에 근무할 수 없을걸요. 나머지 3분의 1은 비 오고 바람 불고 태풍 불어서 사무실을 못 여니까요."

제주의 아름다운 풍광만 염두에 두었지 변덕스러운 날씨까지는 미처 감안하지 못한 내 경솔함이 못내 부끄러웠다. 그녀의 반응을 보면서 올레 사무실의 불안정성이 일하

"성을 쌓는 자는 망하고 길을 가는 자는 흥한다"라고
칭기즈칸은 말했다. 안주하지 말라. 모으지 말라. 길을 가라.

는 직원들의 신경을 얼마나 날카롭게 만드는지 짐작할 수 있었다. 여느 때 같으면 껄껄 웃어넘길 친구가 이리 뾰족하게 대응을 하다니, 새삼 마음이 무거워졌다. 어떻게든 안정적인 사옥을 마련해야겠구나 싶었다.

동문로터리로 임시변통 이사를 와서 1년여 시간이 흘렀다. 사무국 후배들이 회의를 하여 온라인을 통해 전국의 올레꾼들이나 올레에 관심을 가진 사람들로부터 건축기금을 모금하자는 아이디어를 내놓았다. 올레가 우리 사회와 구성원들에게 미친 영향을 여러 에피소드를 통해 보여주고 사람들의 마음을 움직인다면 종잣돈을 마련할 수 있다는 것이었다. 난 인터넷 세대가 아닌지라 그닥 큰 기대를 걸지는 않았다. 가까이에서 우리 처지를 지켜본 사람들도 아닌데 인터넷에 올라온 글 하나로 건축기금을 보낼 마음을 낼 수 있을까, 회의적이었다.

내 비관적인 예상은 보기 좋게 빗나갔다. (사)제주올레 홈페이지에서 올레 집 마련을 위한 '담돌간세 캠페인'을 벌였는데 6개월 만에 1억 5천만 원이라는 큰 돈이 모였다. 물론 땅이나 건물을 사기에는 턱없이 부족했지만, 내 예상을 훨씬 뛰어넘는 큰 돈이었다. 안은주 이사는 종잣돈이 생기자 아는 부동산 중개소 사람들에게 우리가 싼 건물이나 땅을 구한다는 소문을 낸 뒤에 수시로 부동산 중개소에 들르곤 했다.

어느 날 그녀가 내게 다급한 어조로 전화를 걸어왔다. "선배가 늘 저런 건물이 우리 거라면 좋겠다며 지나갈 때마다 눈독을 들였던 그 건물 있죠? 중파 사거리에 있는 돌로 된 큰 건물! 그게 싸게 나와 있대요. 중국 한방병원 측과 최종 계약까지 갔다가 막판에 엎어지는 바람에 아주 싸게 나왔대요. 은행빚에 사채를 좀 빌리면 살 수도 있겠더라고요."

사실 그 건물은 내가 서귀포를 떠난 뒤에 지어진 건물이어서 내 기억 속에는 없었다. 길을 만들기 위해 내려와보니덩치가 큰 건물이 항상 문이 닫혀 있고 사람들도 드나들지 않기에 '정부에서 예산 들여 만들어놓고 제대로 활용하지못한 채 비워놓은 건물 중 하나'인 줄로 지레짐작했다.

그러다 서귀포살이를 오래 하다 보니 그 건물에 대한 이야기를 이래저래 주워듣게 되었다. 서귀포 일등 부잣집 아들이 지은 건물이라는 것, 당시에는 읍내에서 가장 큰 병원이었다는 것, 더 크게 병원을 지어 이사를 가면서 그 뒤

임자를 못 찾아 8년째 방치되다 보니 도심 안의 흉물처럼 남게 되었다는 것을.

병원이라서 사람들이 꺼리는 바람에 우리가 꿈이라도 꿔볼 만한 가격으로 매물로 나와 있다는 그녀의 설명을 들으면서 그 건물이 병원이었다는 게 묘한 운명처럼 여겨졌다. 내가 특강을 다니면서, 늘 강조하던 메시지가 '길은 21세기의 행복한 종합병원' 아니었던가.

'행복한 병원'이라는 키워드를 처음 떠올린 건 2006년 가을 산티아고 길 위에서였다. 이 길을 걸은 지 33일째 되는 날 나는 길 초입에 있는 카페에서 영국에서 온 45세 중년 여성 헤니를 만났고 처음부터 우리는 서로 말이 잘 통했다. 한참을 같이 걷다가 멜리데라는 마을에서 유명한 뿔뽀(문어 올리브오일 절임)를 먹으면서 와인 한 잔을 곁들인 대화를 나누다가 누가 먼저랄 것도 없이 길에서 자신의 몸과 마음을 치유한 경험담을 꺼내면서 대화는 더더욱 물이 올랐다.

마침내 우리는 자연 속에 난 길은 행복한 종합병원이다, 자신의 몸과 마음을 의사도 약도 수술도 없이 오로지 자기 두 발로 스스로 치유하는 공간이다, 걷다 보면 절로 지방은 떨궈지고 근육이 붙듯이 정신적인 지방도 다 털려나가고 정신적 근육이 붙게 되더라, 그러니 둘 다 자기 나라로 돌아가서 저마다의 병원을 만들자고 도원의 결의를 했다.

그런데 오래된, 그것도 8년이나 방치된 병원 건물이 올레의 거점으로 떠오르다니. 이것도 운명이다 싶었다. 일을 저지르기로 했다. 온라인 캠페인으로 생긴 종잣돈은 마중물이었다. 일단 우리부터 우리가 가진 돈을 최대한 내놓기로 하고 주변에 그 사실을 알렸더니 올레 이사진 몇몇이 큰 돈을 기부하는가 하면, 정기예금과 펀드를 중도해약해서 무기한 무이자로 빌려주었다. 모자라는 금액은 은행에서 빌리기로 하고, 우리는 그 건물을 사들였다.

그러고는 1년 넘는 시간을 들여 그 건물에 차근차근 리모델링을 했다. 1층에 팝업 레스토랑 겸 찻집과 교육도 가능한 회의실, 2층에 사무실, 3층에 올레꾼이 머무는 올레스테이를 두루 갖춘 이 건물을 우리는 '제주올레여행자센터'로 명명했다.

나는 시간이 날 때마다 중정로의 가로수들이 내다보이는 올레센터 1층 레스토랑 창가에 앉아 글을 쓰거나 책을 보거나 차를 마신다. 창가에서 뵈는 큰 나무 앞에는 7코스 출발점이자 7-1코스 종점임을 알리는 간세 스탬프 박스가 있고, 거기에서는 늘 올레꾼들이 도장을 찍고 있다. 아니면 나무 옆 둥그런 벤치에 앉아 숨을 고르고 있거나.

그러다가 갑자기 레스토랑 홀 안에서 요란한 박수 소리가 나고 떠들썩한 함성이 들려 고개를 돌려 보면 올레 완주증을 받아들고 한껏 웃고 있는 올레꾼들과 그들을 축하하는 직원들과 손님들이 눈에 들어온다. 날마다 우리가 일궈낸 기적을 확인하는 공간, 그곳이 '올레여행자센터'다.

# 서귀포판 세월호 '남영호'를 아시나요

　그날, 갑자기 학교 안이 술렁거렸다. 담임 선생님이 다급하게 교실에 나타나더니 다짜고짜 오늘 수업은 이만 끝낼터이니 다들 집으로 빨리 돌아가라고 했다. "어라, 이게 무슨 일이지? 시험 때도 아니고 태풍 소식도 없었는데, 남은 수업을 다 제끼고 청소도 종례도 없이 집으로 가라니?" 어떤 아이들은 환호성을 지르고, 어떤 아이들은 고개를 갸우뚱거렸다.

　서귀여중(서귀포여자중학교) 1학년 겨울의 일이었다. 겨울방학을 2주 정도 앞둔 시점이었다. 집으로 돌아오니 가게에 앉아 있던 어머니가 날 보자마자 덥석 껴안았다. 제주 여자답게 자식을 무척 아끼면서도 애정 표현은 별로 없던 어머니로서는 파격적인 일이었다. 어리둥절하게 쳐다보는 내게 그녀는 전대주머니에서 만 원짜리를 꺼내어 내 손에 쥐여주었다. "경해도 우린 다 살아시난. 돈은 하나도 안 아깝다게. 맹숙아. 너 먹고픈 거 다 사먹으라이."

무언가 큰일이 벌어졌구나, 직감했다. 용돈이라면 천 원도 큰 돈이었던 시절에 어른들만 사용하던 파란 돈, 만 원짜리는 언감생심 꿈도 못 꿀 거액이었다. 게다가 달라고 조르지도 않았는데 먼저 내주다니.

시장 전체에 이상한 기운이 감도는 걸 그제야 깨달았다. 누군가는 울고 있고, 누군가는 소리치고, 누군가는 어디론가 내달리고 있었다. 대체 무슨 일이 벌어진 걸까. 불길한 예감에 몸이 와르르 떨려왔다.

어머니가 그제야 이야기했다. "너, 남영호 알지? 그 큰 배가 세상에나 바당에 가라앚앙 거기 탄 사람들이 다 죽었댄다. 아니, 헤엄 잘 치는 몇 명은 살았댄 해라마는 거의 다 죽었댄 햄쩌. 아직 시체도 못 건졌댄 햄쩌. 저기 포목점 해란이 어멍이영 우리 시장만 해도 여럿이 그 배 타신디. 이 노릇을 어떵허민 좋을 거니!"

몸이 본격적으로 떨려왔다. 해란이라면 아까까지 나와 깔깔 웃으면서 학교문을 나섰던 우리 반 친구 아닌가. 늘 부스스한 머리에 허리춤에 전대주머니를 찬 우리 어머니와는 달리 포목점 해란이 어머니는 늘 단정하게 쪽진 머리에 곱게 화장을 하고 한복을 차려입고 미소 짓는 얼굴로 손님을 맞이하던 분이었다. 그럼 해란이 어머니는 살아남은 걸까, 돌아가신 걸까. 그날 밤 어머니는 으스러지게 나를 꼭 껴안았다. 여느 때 같으면 어머니도 그 배를 탔을 거라고, 다시는 우리 딸 못 볼 뻔했다면서.

다음 날 학교를 갔지만, 해란이는 학교에 나오지 않았다. 그날 이후 한동안 학교에서도, 동네에서도 죄다 '남영호' 이야기뿐이었다. 숱한 이야기가 흘러다녔다. 연말 대목철인 데다 이삼 일간 폭풍주의보가 떨어져서 배 운항을 못했기에 밀감 상자가 엄청 실렸고 그 무게를 감당하지 못해서 배가 가라앉았다더라, 아니 밀감만이 아니라 사람도 며칠 발이 묶여서 평소보다 많이 탔고 승객 명단에 정식으로 이름 올리지 않고 뱃삯 내지 않고 탄 손님도 많다더라,

남영호는 제주 사람들에게도 잘 알려지지 않은 또 하나의 세월호다.
남영호의 희생자일 뻔했던 어머니 그리고 이 글을 쓰며 만난 친구의 증언을 들으며
나는 그 바다에 희생자들의 넋을 기리는 삼천 배라도 하고 싶었다.

그날 배가 출발하기 전에 쥐들이 일제히 다 내렸고 누군가
는 그걸 보고 이상하게 여겨 배를 안 타서 살았다더라, 밀
감 상자뿐만 아니라 육지 가축시장에 내다 팔 돼지를 수백
마리 실어서 사람과 돼지의 비명소리가 뒤섞여 바다에 울
려퍼졌다더라, 누구 누구네 어멍은 저 멀리 일본 바닷가에
서 발견됐다더라, 물질 잘하는 해녀 출신은 용케 지나가는
일본 선박에 구조됐다더라 등. 한발 차이로 삶과 죽음을
오간 사람들 이야기가 끝없이 이어졌다.

울 어머니가 가슴을 쓸어내린 데에는 다 그만한 이유가
있었다. 어머니도 한 달에 한두 번꼴로 당시 부산 자갈치
시장에 있는 대흥상회에 건어물을 떼러 남영호를 타고 다
녀오곤 했다. 대흥상회가 품질 좋은 멸치와 건어물 등을
양심적인 가격으로 파는 데다, 그 집 아주머니와 친해져서
자매처럼 지내는 사이였다.

어머니는 부산을 다녀올 때마다 당시 서귀포에서는 보
기 힘든 전집류의 책을 사갖고 와서 책을 좋아하는 내게
건네주곤 했다. 그래서 난 어머니의 부산행을 은근히 기다
리곤 했다. 그 배에 탈 가능성이 높았던 어머니는 그 무렵
지독한 감기 몸살에 걸렸던 것이다.

얼마 뒤였을까. 전라도 여수 앞바다에서 건져올린 시신들이 서귀포항에 들어왔다는 얘기가 들렸다. 학교가 또 한 번 술렁거렸다. 학교가 끝나자마자 우리는 누가 먼저랄 것도 없이 교복 차림으로 부둣가로 내달렸다.

아, 늘 분주하고 설렘이 가득했던 항구는 통곡과 비명소리로 가득 찼다. 사람들은 천으로 덮인 시신을 들춰보고선 까무라치기도 했고, 꺼이꺼이 목놓아 울기도 했다. 마치 영화의 한 장면을 보는 듯 그 모습이 너무나도 비현실적으로 느껴졌다. 며칠 만에 등교한 해란이의 단발머리에는 나비처럼 흰 핀이 꽂혀 있었다.

남영호가 남긴 상흔은 깊고, 오래, 질기게 서귀포 사람들에게 남았다. 당시 남영호 선주는 서귀포에서 자수성가로 부를 축적해서 큰 배의 선주까지 된 전설적인 부자 할머니인데, 이 사건으로 파산 지경에 이르렀다. 내 친구 중에는 부모를 다 잃고 고아가 된 친구도, 남편을 잃은 어머니가 다른 남자와 재혼하는 바람에 성이 바뀌어 친구들에게 놀림을 받은 친구도, 어머니를 잃고 새어머니를 맞이해서 맘고생을 심하게 하는 친구도 있었다.

시린 눈물이
절절 고이는 서귀포항

해란이를 다시 만난 건 올레길에서였다. 해란이는 신문에 난 올레길 개장 기사를 보고 수소문해서 내게 전화를 걸어왔다. 그녀는 놀랍게도 대학을 졸업한 뒤 다시 신학대학원에 진학해 목회자의 길을 걸었고, 새문안교회에서 첫 여성 목사가 되어 있었다. 내가 다니던 언론사에서 한 블록만 더 가면 새문안교회가 있는데도 우리는 서울에서 만나지 못한 채 긴 세월을 흘려보낸 것이다. 그녀는 고향의 올레길에 큰 관심을 보이면서 교회 신도들과 함께 올레길을 찾았다. 그러나 그녀도, 나도, 그 옛날 남영호 이야기는 꺼내지 않았다. 마치 약속이라도 한 것처럼.

내가 그녀에게 남영호 때의 기억을 물어본 것은 세월호 사건 때문이었다. 세월호를 이제는 그만 언급할 때가 되지 않았느냐고 하는 일부 여론도 있었다. 난 남영호가 어느 때쯤에나 가족들에게 잊혔는지 해란이에게 물어보고 싶었다. 어렵사리 그 이야기를 꺼냈다.

해란이는 단호한 표정으로 말했다. "죽을 때까지 못 잊을 것 같아. 지금도 난 인생의 고비 때마다 그때 그 나이인 열네 살 때로 돌아가곤 해. 내가 목회자가 된 데에도 남영호가 가장 큰 영향을 미친 것 같아. 나만이 아니야. 우리 5남매 중에 둘이 목사니까."

아직도 때때로 열네 살 여중생으로 돌아간다니. 그녀는 쥐어짜듯이 과거의 기억을 토해냈다. 당시 어머니는 갓 마흔이었단다. 스물셋까지는 서귀포 인근에서 손에 꼽히는 상군 해녀(동네 해녀들 중에서 가장 물질을 잘하는 해녀)였단다. 아, 그 고운 한복만 입고 있던 포목집 여주인이 해녀였다니. 그것도 상군 해녀였다니. 해란이 어머니는 한량인 남편 대신 악착같이 가게 일에 매달리고 5남매를 키우면서 마침내는 집도 사고 과수원도 샀더란다.

해란이는 고통스러운 표정으로 이야기를 이어갔다. 사실 자기 어머니는 죽음을 피할 수 있는 기회를 이상하게도 세 번이나 놓치고 말았다고. 어찌 보면 운명이라고밖에는 말할 수 없을 정도로.

그날 육지로 포목천을 뜨러 가기 전에 해란이 아버지가 왕복 비행기표를 여행사에서 끊어와 모처럼 어머니에게 선심을 썼더란다. 배는 너무 시간이 걸리고 고생스러우니 이번에는 특별히 비행기로 다녀오라면서. 당시는 저가 항공사가 없는 시대라서 비행기는 뱃삯의 열 배 정도 되는, 부자나 고위공직자나 신혼부부 정도나 타는 교통수단이었는데, 아버지는 고생하는 아내에게 비행기표를 선물한 것이었다. 하지만 근검 절약이 몸에 배인 왕년의 상군 해녀는 남편이 끊어온 비행기표를 여행사에 찾아가 되물리고 말았단다. 그녀가 참사를 피할 수 있었던 첫 번째 기회를 내친 것이었다.

두 번째 기회는 배를 놓친 것이었다. 해란이 어머니는 포목점 일을 하다 보니 그만 부두에 늦게 나갔더란다. 바로 눈앞에서 문섬을 향해 배가 뚜두두 고동소리와 함께 출발할 무렵에서야 도착한 해란이 어머니는 발을 동동 굴렀더란다. 포목천을 못 끊어오면 연말 대목 장사를 못 할 판이니 그럴 만도 했더란다. 그 모습을 지켜보던 어머니의 지인이 마침 경찰서장 부인이어서 그녀는 남편에게 딱한 사정을 알렸고, 경찰서장은 무전기로 선장에게 다시 돌아오라고 부탁을 했더란다. 배는 새섬 앞에서 선수를 돌려 항구로 되돌아오고, 그 배에서는 쥐떼들이 우르르 내리고, 그 쥐떼가 내리는 것을 본 어떤 사람인가는 침몰 징조로 여기고 내렸다던가. 하여간 해란이 어머니는 놓친 배를 타게 되어 너무나 기뻐하면서 배에 올랐더란다. 배를 놓친 게 참사를 피할 수 있는 두 번째 기회라는 것을 까맣게 모른 채.

어머니가 놓친 세 번째 기회를 말할 즈음 해란이의 목은 거의 잠겨서 말을 알아듣기 힘든 지경이었다. 해경 구조선에 의해 발견된 어머니의 시신은 눈알이 파먹히고 몸에 살점이 떨어져나가고 다리 한쪽이 잘려나간 다른 승객들과는 달리, 상처 하나 없이 온전했더란다. 비록 해란이는 이웃에 사는 서북청년단 박씨 아저씨가 부두에서 치안 정리를 하면서 어린 여중생은 안 된다고 말리는 바람에 직접 보지는 못했지만, 어머니의 시신을 목도하고 까무라쳤던 여고생 언니가 그렇게 전해주더란다.

그렇듯 시신이 온전했던 이유는 당시 구조에 나섰던 해양경찰의 증언으로 나중에야 밝혀졌더란다. 사고가 나자 뒤늦게서야 사체 수색에 나선 해경은 밤새 헬리콥터를 띄우고 바다를 정찰하던 중 몇몇 사람이 바다에 떠 있음을 알게 되었더란다. 해경은 즉시 구조선을 띄웠지만, 현장에 거의 도착할 무렵에야 서둘러 출동하느라고 응급처치를 할 의사를 태우지 않은 사실을 깨닫고서는 다시 부두로 되돌아가 의사를 태우고 현장에 도착했더란다. 해란이 어머니가 살아 있는 채 발견될 수도 있던 세 번째 기회는 그렇게 흘러가고 말았단다.

해경이 발견했을 때 해란이 어머니의 시신이 온전했던 이유는 바다 위에 떠 있었기 때문이었단다. 해란이 어머니는 나무로 된 밀감 상자를 세 개 포개어 묶은 뒤 그 상자에 자신의 팔다리를 칭칭 묶어 놓았더란다. 아무리 수영을 잘해도 구조선이 올 때까지 바다에 떠 있을 수는 없음을 아는 노련한 전직 해녀는 물 위에 뜨는 가벼운 나무 상자를 활용해 임시 구명정을 만들었던 모양이라고 해란이는 덧붙였다.

해란이의 트라우마는 아직도 현재진행형이었다. 목사로서 그토록 많은 장례예배를 집전하면서, 예배 때마다 하나님의 뜻으로 하나님의 나라로 갔다고 수없이 설교했건만, 정작 자신은 어머니의 죽음을 그렇게 받아들일 수가 없어서 고통스럽단다. 왜 내게, 왜 우리 어머니에게 그런 일이? 하나님을 향한 질문과 항변이 목구멍까지 치밀어오를 때가 종종 있단다. 그래서 상담학 박사가 되어 상담감독이 되어도, 신학 박사가 되어 목사가 되어도 여전히 그 답을 명료하게 찾지는 못했단다.

두어 해 전에 해란이는 고향 서귀포로 돌아왔다. 어릴 적 상처 때문에 고향 서귀포를 그닥 좋아하지 않던 그녀였기에 뜻밖이었다. 그녀는 그 또한 운명인 듯하다고 하지만 온전히 서귀포를 사랑할 수는 없다고 말했다. 서귀포는 자신에게는 여전히 애증이 교차하는 공간이란다.

가족을 잃은 상처도 이토록 오랜 세월 아물지 않지만, 살아남은 이의 상처 또한 현재 진행형이다.

2020년은 서귀포판 세월호인 남영호 조난사고가 일어난 지 50년이 되는 해다. 기억하지 않은 이들에게는 재앙은 다시 찾아온다고 한다. 남영호가 제대로 기억되고 추모되고 곱씹어지고 제도적 보완이 이뤄졌더라면 세월호 사건은 되풀이되지 않았을 터.

세월호 사고가 터졌을 때 서귀포 사람들은 또 한 번 그 악몽을 떠올려야만 했다. 남영호는 제주를 막 벗어나면서 좌초했고, 세월호는 제주를 향해 오던 중 좌초했다는 점이 다를 뿐 여러모로 너무나도 닮아 있었기에.

남영호 사고를 떠올린 건 서귀포 사람들만이 아니었다. 과거 대형 해상사고로 남영호 사건이 있었고, 그 사고에서 살아남은 한 생존자의 연락처를 확인한 《시사인》 김은남 기자가 그를 인터뷰하기 위해 제주를 찾았더란다. 성산포에 사는 해녀 출신 할머니는 남편의 권유에도 끝내 인터뷰를 거부하더란다. 그러면서도 그녀는 절규처럼 한두 마디를 쏟아내더란다. 지금도 그때 물소리가 귀에 쟁쟁하게 들린다고, 그 사건 이후 살아도 산 게 아니라고.

남영호가 출항했던 서귀포항에는 더 이상 여객선이 다니지 않는다. 비행기가 교통의 주요 수단으로 떠오르면서 여객선 수요가 감소하는 바람에 적자폭이 커지는 걸 견디다 못한 해운사에서 2000년에 운항을 중단했기 때문이다.

날마다 항구의 이별과 만남이 이뤄지고, 산더미처럼 많은 물건들이 부려지고 실려지던, 새섬과 문섬이 그림처럼 떠 있는 그 부두는 지금은 그토록 풍요롭고 떠들썩하던 예전의 흔적을 찾을 길 없다. 촘촘한 푸른색 쇠창살문이 버티고 서 있을 뿐.

항구에는 그날의 아픔을 기리는 위령탑도 찾을 길 없다. 엉뚱하게도 남영호 위령탑은 그 바닷가에서 한참이나 떨어진 정방폭포 주차장 근처 산책로 한켠에 서 있다. 원래 항구에 세워졌던 위령탑은 항만 확장 때문에 바다와는 한참 동떨어진 중산간 자락으로 옮겨졌다가 그나마 유족들의 끈질긴 항의에 멀리서나마 바다가 보이는 곳에 다시 세워진 것이다.

남영호가 출발했던 바닷가에는 오늘도 평화로이 유람선과 잠수함이 오간다. 고깃배들은 풍어 깃발을 매달고 항구를 들고 난다. 하지만 이 부둣가를 지날 때면 늘 가슴속에 시린 눈물이 고이는 걸 어쩔 수 없다.

2020년 사고 50년을 기해서 서귀포항에 남영호 추모비가 되돌아오기를. 그리하여 그 아름다운 서귀포항에서 어

떤 죽음과 이별이 있었는지 기억하게 되기를. 내 친구 해
란이가 비로소 열네 살에서 벗어나게 되기를.

# 최악의 해상사고 '남영호 사건'

1970년 12월 14일 오후 4시 제주 서귀포항에서 출발해 성산포항을 거쳐 338명의 승객과 543톤의 화물을 싣고 부산항으로 향하던 남영호가 15일 새벽 2시 5분경 여수 소리도 앞바다에서 침몰한 사건이다.

건국 이래 해상참사 중 가장 많은 인명피해를 낸 최악의 사고로 323명이 사망하고 겨우 15명만 구조되었다(1971년 부산지방해난심판원 재결문). 그러나 남제주군 조난수습 대책일지에는 사망 326명, 생존자 12명으로 기록되는 등 조난자 규모는 여전히 논란의 여지가 있다.

선령 2년의 남영호는 362톤급으로 선체도 큰 편이었지만 무리한 과적, 정원초과, 불법 선박개조, 항해 부주의, 감독 소홀 등 안전불감증과 선주와 권력의 유착, 정부의 늑장대응이 빚은 전형적인 인재였다. 연말 성수기를 앞두고 감귤, 배추 등 정량의 4배가 넘는 화물을 제대로 결박도 하지 않은 채 마구 실었고 성산포항을 떠날 때부터 좌현으로 10도 기운 상태였다. 승객 64명은 승선자 명부에도 없었다. 선장과 통신사는 무자격자였다.

사고 직후 남영호가 발신한 긴급구조신호를 국내에서는 단 한 곳도 포착하지 못했다. 그나마 신호를 수신한 일본 어선들이 자국 순시선에 알리면서 조난 사실이 전해졌다. 일본 측은 오전 9시부터 낮 12시 30분까지 한국에 계속 무전을 쳤지만 응답이 없었다. 일본 해상보안청은 순시선을 현장에 급파했다. 교도통신이 특종으로 전 세계에 사고 소식을 타전했고, 국내에서는 오전 11시에야 라디오방송을 통해 긴급뉴스로 보도되기 시작했다.

교도통신 뉴스가 나온 후에도 한국 해경 등은 '연락받은 바 없다'는 입장만 되풀이했다. 결국 한국 해경이 출동한 시각은 오후 1시로 일본의 순시선 파견보다 4시간이나 늦었다. 골든타임을 한참 넘기고 사고해역에 도착한 한국 해경이 구조한 사람은 3명에 불과했다. 일본 측이 8명, 한국 어선이 1명을 구조한 뒤였다.

한국 정부는 열흘도 안 돼 시신·선체의 인양을 포기하고 12월 28일 서귀포에서 시신 없는 합동위령제를 지내 유족들의 분노를 샀다. 당시 인양된 시신은 고작 18구였으며 나머지 300여 명은 시신 없이 장례를 치렀다.

이듬해인 1971년 서귀포항에 위령탑이 건립되었지만 항만 확장공사로 1982년 중산간인 상효동으로 옮겨져 오랫동안 방치되었다. 유족들의 요구로 2014년 정방폭포 해안에 '남영호 조난자 위령탑'으로 다시 세워졌다. 2020년이면 50주기를 맞는 남영호 사건은 아직까지 정확한 탑승자 확인이나 희생자 보상, 위령사업 등이 제대로 이뤄지지 않고 있다.

## 함경도를, 그곳 무산을 아시나요

　제주에 내려와 올레길을 내면서 나는 제주가 고향인 어머니의 자취는 물론 아버지의 흔적도 곳곳에서 발견하곤 했다. 언젠가 올레 13코스를 탐사하면서 제주에서도 가장 오랜 역사를 자랑한다는 고산성당에 들른 적이 있다. 헌데 그 성당이 너무나도 낯익었다. 어린 시절 북제주군에 속했던 제주도 서북부 고산리는 내가 살았던 서귀포와는 동떨어진 머나먼 변경 마을이었다. 그런 고산리에 있는 성당을 내가 와봤을 리 없는데도, 제주 현무암으로 지은 오래된 전통 건축양식의 그 성당이 눈에 너무나도 익었다.

집에 돌아와서 어머니에게 무심코 그 이야기를 했더니, 어머니가 "아이고 무사 안 가봐시냐. 니네 아방이 성당 지프차 운전수 할 때 먼 디 갈 땐 늘 널 데령다녀시네. 고산성당도 모슬포성당도 자주 갔다왔주게."

아, 그랬었구나. 어머니 혼자 조그맣게 시작한 점방 '서명숙상회'가 점점 번창하고 일손이 달리자 아버지까지 가게에 투입된 것은 내가 초등학교에 입학하면서부터였다. 그 이전에 아버지는 한국 군대에서 배운 운전 기술로 서귀포 최고 부잣집의 지프를 몰다가 성질을 못 이겨서 그만두고 서귀포성당에서 신부님의 지프를 모는 운전기사로 일을 했다는 건 알고 있었다. 성당 지프차를 탔던 기억도 어렴풋하게 있었지만, 고산성당과는 미처 연결짓지 못했었다.

귀향 2년 만에 중문 대포동에서 어릴 적 살던 서귀포 구도심으로 이사 오면서 아버지는 곳곳에서 시도 때도 없이 나타나곤 했다. 동문로터리에서 제주시 가는 버스를 기다리다가, 제주시에서 자취하는 여고생 딸의 짐을 한보따리 실어다주고는 빈 자전거로 돌아가던 쓸쓸해 뵈던 아버지의 뒷모습이 문득 떠올랐다. 자구리공원 맞은편 예전 솔동산 거리를 지나다가 그곳에 촘촘히 들어서 있던 유성관과 태평관 등을 떠올리는 순간, 그 요릿집으로 밀린 외상값을 받으러 갔던 아버지는 어디론가 사라지고 아버지의 자전거만 세워져 있던 풍경이 어제 일처럼 재생되기도 했다.

올레길을 낸 뒤부터 내 맘속에서 아버지의 땅을 향한 그리움은 더 깊어지고 갈증은 더 심해졌다. 어릴 적에는 도무지 이해할 수 없었던 그의 말투, 그의 행동, 그의 성격, 술버릇이 마치 난해하기 그지없던 난수표가 해독되듯이 나이가 들수록 조금씩 이해가 가기 시작했다. 그럴수록 그를 맹렬히 미워하고 부끄러워하고 심지어는 은근히 경멸까지 했던 만큼, 그가 그리워지고 애달프고 감사하게 느껴졌다.

아버지가 살아생전에 가고 싶어 했던 그곳에 대해 조금씩 공부를 시작했다. 무산. 백두산 자락, 두만강변에 있다는 그곳. 한국에서 가장 추운 곳이라는 그곳. 우리나라 최고의 온천지대인 주을군과 맞닿아 있다는 그곳. 예전에는 여진족, 말갈족의 땅이었지만 세종의 북진정책에 따라 우리나라에 편입되었다는 그곳. 백두산 다음으로 우리나라에서 두 번째로 높은 관모산을 주을군과 함께 나누고 있다는 그곳. 우리 민족의 지붕이라는 개마고원을 지나면 나타난다는 그곳. 우리나라 최고 최초의 광산이 있었다는 그곳. 한때는 인구 20만을 헤아리는 꽤 큰 국경도시였다는 그곳. 우리 아버지의 표현에 따르면 아이들조차 겨울이면 썰매로 꽁꽁 언 강을 건너서 중국 땅으로 넘어갈 수 있었다는 그곳.

무엇보다도 그곳 무산이 지닌 국경도시의 풍광과 그곳의 서정을 절절하게 그려낸 건 단연 월북 시인 이용악의 〈그리움〉이다. 아버지에게 들었던 고향 풍경과 굽이굽이 도는 열차의 풍경을 조합하면 무산이 어떤 곳인지 절로 머릿속으로 그림이 그려졌다.

나는 그의 시를 읽으면서 어린 아내와 아이들이 보고 싶어 탈영한 한 젊은 인민군 병사를 떠올렸다. 아버지가 결혼해서 아내와 어린 남매를 고향에 둔 채로 인민군에 징집되었다는 것쯤은 대학 시절부터 알고 있었다. 그것도 어머니를 통해서 들었을 뿐, 아버지는 크렘린처럼 과묵해서 좀체 고향의 가족 이야기를 한 적이 없다.

헌데 생의 마지막 순간이 다가왔음을 예감했기 때문일까. 아버지는 돌아가시기 몇 달 전에야 자신의 인민군 시절 이야기와 고향의 가족 이야기를 꺼내놓았다. 그는 대장 암 아주 초기라서 간단히 수술만 하면 100세까지도 거뜬 하다는 의사의 진단과 권유에도 살 만큼 다 살았다면서 끝 내 수술과 입원을 거부했다.

아마도 그 즈음이었을 것이다. 어느 날 거실 소파에서 나는 아버지에게 물었다. 대체 왜 포로수용소에서 남한 을 택한 거냐고, 고향으로 돌아가거나 제3국으로 가는 선 택지가 있었는데도. 그는 뜻밖의 대답을 들려주었다. 전쟁 중에 고향의 어린 아내와 두 아이가 너무나도 보고 싶어서 탈영을 했단다. 인민군과 국군 둘 다를 피해야 하는지라 낮에는 산속에 숨고 밤에만 걸어서 어찌어찌해서 고향 근 처에 다 이르렀는데 그 근처 다리에서 그만 발각되고 말았 더란다. 다시 징집된 그는 낙동강 전투에서 결국 낙오병으 로 붙잡혀 거제소 포로수용소에서 지내다가 선택의 순간 을 맞게 되었는데, 전쟁 중 탈영한 전력이 있던지라 고향 에 돌아가면 무슨 일을 당하게 될지 몰라서 남쪽을 택했더 란다. 제3국으로 갈 용기는 낼 수가 없었고, 그나마 한민족 같은 말을 쓰는 남한 땅이 낫지 싶더란다.

그렇게 남한 땅에 남은 아버지도 한라산에 펄펄 눈이 내

아버지가 서귀포에서 가슴에 품고 있던 바다는 고향 함경도 무산이었을 것이다.
그곳에 두고 온 그리움이라는 아버지의 바다.
서귀포에서 무산까지 나는 길을 내어 가려 한다.

리면 이용악이 그랬듯 고향에 남겨두고 온 아내와 어린 남매를 떠올렸을 터. 주위 사람들이 놀랄 정도로 무뚝뚝한 함경도 아바이가 나를 유난히도 사랑하고 아낀 것도, 고향의 두 아이에게 주고 싶어도 못 주는 사랑까지 다 몰아서 남한에서 얻은 혈육에게 쏟았던 게 아닐까 싶었다.

시간이 흐를수록 서귀포를 더 사랑하게 된 것만큼이나, 아버지의 고향 무산을 공부하면 할수록 그의 고향으로 가고 싶은 마음도 그만큼 더 커졌다.


지난해 6월 나는 민주평화통일자문회의 제주서귀포시협의회 식구들과 함께 4박 5일 여정으로 중국을 거쳐 백두산에 오르는 여행을 떠났다. 말로만 듣던 아버지의 고향 근처 민족의 영산이라는 백두산과 아버지가 겨울이면 넘나들었다는 두만강을 중국 쪽에서라도 오르고, 보기 위해서.

아, 3대가 선업을 쌓아야 겨우 볼까 말까 하다는 백두산 천지. 우리 일행은 첫날 서파 코스로 올랐는데 가이드조차 입을 떡 벌릴 만큼 구름 한 점 없이 쾌청한 날이었다. 올라갈 때는 그나마 살짝 구름이 낄 것도 같았는데 우리가 정상에 머무는 30분 동안은 사진에서 봐오던 그 모습 그대로였다. 다음 날 북파 코스로 올랐을 때는 시야가 가려 거의 아무것도 보이지 않았지만, 전날 너무나도 또렷하게 보았기에 충분히 상상할 수 있었다.

그다음 날, 두만강변으로 유람선을 타러 가는 일정을 앞두고 난 가슴이 두근두근해서 견딜 수가 없었다. 아, 그 강 앞에 서서 북한 쪽 초소를 지키는 병사들과 그 강 언덕길을 자전거를 타고 달리는 주민들과 그 강둑에 서서 담배를 피우면서 강 건너편 중국 땅을 바라보는 주민들을 보노라니 아버지 생각이 간절했다. 아, 아버지 당신의 말이 맞았네요. 충분히 썰매를 타고 건너올 수 있는 거리였네요. 대학까지 나오고서도 오십이 다 되어서야 국경을 넘어본 저와는 달리 당신은 초등학교 시절에 이미 국경을 넘어본 국경 영재였네요! 혼잣말로 무산 출신 그 남자에게 말을 건네면서 나는 마음속으로 눈물을 흘렸다.

함경도 아바이 서송남 씨. 늦었지만 진심으로 사죄드립니다. 내 좁은 경험치와 편견 때문에 당신의 '내래…'라는 도입부도 '…했지비'라는 어미도 끔찍하게 싫어했던 것을. 국토 최남단 좁고 척박한 섬에서는 서로 돕고 사는 길밖에 없는 데다 4·3이라는 전대미문의 대학살을 겪으면서 더더욱 질기게 뿌리내리게 된 괸당문화 속에서 '육지것'도 모자라서 이북 사투리가 역력한 최북단 무산 남자로서 지독한 외로움 때문에 마신 술을 조금도 이해하지 못했던 것을. 하지만, 아버지는 지프 타고 가실 생각이었지만 저는 아버지의 고향 무산까지 걸어서 갈 터이니 그 길을 열 터이니 부디 그 모든 잘못을 용서해주세요.

그로부터 3개월 뒤인 9월 나는 스페인 산티아고 길의 종점이자 상징 도시인 산티아고 데 콤포스텔라에서 열린 제5회 세계트레일컨퍼런스(WTN)에 참가해 마지막 날에 첫 명예홍보대사를 수락하는 연설을 하게 되었다. 트레일에 관한 국제기구도 없었고 따라서 세계 총회나 회의도 없던 시절, 가장 신생 트레일인 제주올레가 제1회 세계트레일 컨퍼런스를 배짱 좋게 개최했던 것은 지난 2010년. 늦게 출발한 만큼 세상에 좀더 우리를 알리기 위해 제주올레건 기축제와 함께 야심차게 추진한 프로젝트였다. 그때 처음으로 나라와 대륙을 넘어 국제적인 유대와 교류를 경험해본 세계의 트레일들은 앞다투어 대회 개최를 자원했고, 마침내 5회째는 산티아고 길 후반부가 있는 스페인 갈리시아주에서 대회를 유치한 것이었다.

산티아고 데 콤포스텔라. 내가 2006년 나이 오십에 막 접어든 그해 내 모든 에너지가 다 소진되었음을 느끼고 책상 위에 쓰러져 돌연사하지 않기 위해 스스로 사표를 내고 막막한 심경으로 길을 나서서 800킬로미터의 길을 걷고 36일 만에 이르렀던 도시! 이곳 성당 마당에서 배낭을 베개 삼아 드러누워 올려다본 하늘은 얼마나 아름답고 신비로웠던가.

총회는 바로 그 성당 근처 건물에서 열렸다. 피날레에 모인 41개국 트레일 관계자들 앞에서 나는 한반도 지도가 담긴 영상 자료를 보여주면서 우리 아버지는 이 지도 북쪽 끝 우리 어머니는 이 지도의 남쪽 끝 섬 출신이며 나는 이 두 사람 사이에서 태어났다, 여러분도 알다시피 한때는 한 나라였던 남쪽과 북쪽은 한국전쟁으로 분단된 이후 70년이나 세월이 흘렀지만 여전히 휴전상태를 유지하고 있다, 12년 전 이곳 스페인 산티아고 길을 걸으면서 나는 아버지의 땅까지 언젠가는 걸어가리라 결심했다, 올해 봄 다행히도 남북의 지도자가 정말 오랜만에 만나서 판문점을 서로 넘었다, 우리가 알다시피 서로 무기를 버리고 걷는 길

이야말로 서로를 이해하고 교류할 수 있는 가장 좋은 방법이요 평화를 정착시키는 유일한 방법이다, 언젠가 나는 두 사람의 딸로서 아시아트레일즈네트워크 대표로서 월드트레일즈네트워크 홍보대사로서 어머니 고향 서귀포에서 아버지 고향 무산까지 남북을 잇는 피스Peace올레를 내고, 그 길을 여러분과 같이 걷고 싶다, 여러분도 부디 그 길이 열리기를 도와주고 응원해달라, 그리고 그 길이 열리는 날 같이 함께 걸어가달라, 부탁드린다.

산티아고 길 위에 선 지 13년, 올레길을 낸 지 12년 만에 전 세계에서 모여든 트레일 관계자들 앞에서 이런 연설을 하게 되다니. 스스로도 믿어지지 않을 기적 같은 순간이었다. 말을 마치고 내려오려는데 갑자기 하나둘 일어서기 시작하더니 모두가 일어나서 내게 기립박수를 보내는 게 아닌가. 뜨거운 박수는 오래도록 그치지 않았다.

단상에서 내려오는 내게 여러 사람들이 손을 내밀며 악수를 청했다. 낯익은 미국트레일협회 회장이 뒤에 사람들이 기다리고 있는데도 흥분을 감추지 못하고 긴 이야기를 건넸다. "길이 교류와 화해와 평화의 가장 강력한 수단이라는 데 100퍼센트 동감하고, 당신의 꿈인 피스올레를 적

극 응원하겠어요. 그리고 저도 또 다른 피스올레를 만들어야겠다는 영감을 오늘 이 자리에서 얻었어요. 중남미 코스타리카에는 한국전쟁 때 전쟁을 반대해서 징집에 응하지 않은 미국인들이 모여 사는 국경 마을이 있어요. 그 마을에서 이웃나라 파나마로 넘어가는 길을 내서 중남미 피스올레로 명명할까 해요. 많이 가르치고 도와주세요."

한때는 내게 부끄러움과 당혹감을 안겨주었던 함경도 아바이는 세계 다른 나라 사람들에게까지 영감을 주는 피스올레의 꿈을 내게 심어주었다. 서귀포의 과수원은 끝내 팔아치웠지만 그 땅 대신 딸에게 물려준 유산이다. 여러분, 무산을 아시나요, 험한 벼랑을 굽이굽이 돌아가는 백무선 열차가 달리는 아득한 그 북녘 땅끝 마을을.

어머니의 고향 서귀포에서 아버지의 고향 무산까지 남북을 잇는 피스올레를 내고
그 길을 여러분과 같이 걷고 싶다. 그 첫걸음을 《서귀포를 아시나요》에서 시작한다.

"움직이는 물은 그 물속에 꽃의 두근거림을 지니고 있다."
– 가스통 바슐라르,《꿈꿀 권리》중에서

물이 귀했던 제주와 달리 서귀포는 물의 도시다.
비 내리지 않는 날에도 땅속에서 청정 용천수가 나왔고
어디선가 흘러나온 물이 폭포수를 이루었다.
여름을 좋아했고 습도를 즐겼던 내게
서귀포는 거대한 연못이었고
나는 그 연못에 두근거리는 물고기였다.

오랜 세월이 흐른 뒤 물에 비친 구름, 꽃나무가지가 드리운 그늘,
빛의 변화에 따라 어두워지면서도 밝아지며
다른 빛을 반사해내는 서귀포의 아름다움을 발견했다.
마치 물 위에 떠 있는 수련을 표현한 모네의 그림 같은,
서귀포의 물이 그린 풍경과 물처럼 유연한 길들을
알려주고 싶었다.
서귀포를 아시나요.
미소 지으며 따뜻한 수채화로 그려내고 싶었다.
'고요한 물의 더할 나위 없이 가벼운 운동이
꽃들의 아름다움을 이끌어내는 것'과도 같이.

**그림 박지현(어반 스케처, 제주유딧)**

서울에서 태어나 자라 도시에서 국어교사로 일했다. 남편과 제주 여행 중 한라산 영실을 걷다 갑자기 문득, 제주에서 살아야겠다고 생각해, 그후 남편을 설득해 무작정 제주에 내려와 살고 있다. 올레길을 걷던 중 글로는 표현하지 못할 제주 풍경을 그림으로 그려야겠다고 결심하고 독학으로 그림을 공부했다. 제주 바다, 올레길, 오름, 마을을 사랑해 날마다 걷고 그리는 어반 스케처로 살아가고 있다.《서귀포를 아시나요》의 그림을 그리기 위해 저자와 함께 서귀포 곳곳을 걸으며 미처 알지 못했던 이야기들을 접하게 되었고, 그 소중한 경험을 아름다운 수채화로 표현해 이 책에 담아냈다.

인스타그램 @jejujudith